pop songs
easy–medium

noten
+tab

MICHAEL
LANGER

acoustic pop guitar solos 5

Die Audiodateien können unter

download.dux-verlag.de

kostenlos heruntergeladen werden.

Der Download-Code befindet sich auf der letzten Seite dieses Buches.

Impressum:

D 887/ ISMN 979-0-50017-521-6 / ISBN 978-3-86849-348-1
Layout und Notensatz: Michael Langer
Cover design: Olaf Becker

Audiofiles:
Michael Langer: Gitarre, Recording, Mastering

A Bosworth production exclusively distributed by Edition DUX
www.dux-verlag.de

Michael Langer
Michael Langer spielt sowohl klassische Gitarre als auch Fingerstyle. Zu Beginn seiner Karriere gewann er den Wettbewerb des „American Fingerstyle Guitar Festival“ und wurde von der US-Zeitschrift „Guitar Player“ als bester „Acoustic Fingerstyle-Gitarrist“ ausgezeichnet.

Heute ist er Univ. Prof. für klassische Gitarre an der Anton Bruckner Privatuniversität in Linz und an der Musik und Kunst Privatuniversität in Wien und spielt seit 35 Jahren Konzerte in vielen Ländern Europas, in den USA und in China.
Langer ist Autor zahlreicher Publikationen, die in mehrere Sprachen übersetzt international erschienen sind, und wirkt auch als vielbeschäftigter Dozent von Meisterkursen und Fortbildungsveranstaltungen.

Mehr Informationen über CDs, Bücher, Konzerte und Workshops auf seiner Homepage:
www.michaellanger.at

*Ganz herzlichen Dank an Sabine,
Gerhard und Uwe vom Dux-Verlag.*

Einleitung

Alle 20 Gitarren-Arrangements von Band 5 haben den gleichen 6-seitigen Aufbau:

Aufbau

Seite 1
bringt eine kurze Einleitung zur Geschichte des folgenden Songs und zu den Besonderheiten meines Arrangements für Gitarre. Es folgt ein Vorschlag für eine Strumming- und eine Picking-Begleitung, mit den jeweils dazu passenden Akkorden.

Basics

Strumming + Picking-Begleitung

Seite 2
bringt den Text des Liedes mit Akkordsymbolen. Der Aufbau entspricht genau dem Aufbau des Arrangements. In einigen wenigen Fällen habe ich auf eine Strophe oder die Wiederholung eines Refrains verzichtet, um das Arrangement möglichst straff zu halten.
Es ist möglich, mit diesen Akkorden und durch Mitlesen der Taktfolge auf der Textseite das Arrangement mit Strumming oder Picking zu begleiten und so die Besetzung auf mehrere Gitarren zu erweitern.

Akkorde + Text

Arrangement für mehrere Gitarren

Seite 3 und 4
stellt das Gitarren-Arrangement in Notenschrift vor mit detaillierten Fingersatzangaben für die rechte und linke Hand.

Noten

Seite 5 und 6
stellt das Gitarren-Arrangement in Tabulaturschrift vor.
Ich habe eine Tabulaturschrift gewählt, die mit Pausen und Notenbalken für Ober- und Unterstimme rhythmisch sehr genau ist. Die wichtigsten Fingersatzangaben stehen ober- oder unterhalb der Tabulaturzeilen in Klammer. Für zusätzliche Fingersatzangaben kann der Notentext als Referenz herangezogen werden.

Tabulatur

Alle 20 Arrangements wurden von mir vollständig eingespielt. Die Audiodateien können mit dem personalisierten Code (letzte Seite) heruntergeladen werden.

Audiofiles

Meine Arrangments in Band 5 der „Acoustic Pop Guitar Solos" stellen eine Balance zwischen leichter Spielbarkeit und zufriedenstellendem Klang bzw. Groove dar und sollen vor allem Freude beim Spielen bereiten!

Leichte Spielbarkeit

Michael Langer
(Wien, im Februar 2020)

Inhaltsverzeichnis

Zeichenerklärung

Die **Finger der linken Hand** werden mit **Ziffern** abgekürzt
(in der Tabulatur stehen diese Fingersatzbezeichnungen in Klammer):

1 = Zeigefinger
2 = Mittelfinger
3 = Ringfinger
4 = Kleiner Finger

Die **Finger der rechten Hand** werden mit **Buchstaben** abgekürzt
(in der Tabulatur stehen diese Fingersatzbezeichnungen in Klammer):

p = Daumen (spanisch: pulgar)
i = Zeigefinger (spanisch: indice)
m = Mittelfinger (spanisch: medio)
a = Ringfinger (spanisch: anular)

Tabulatur

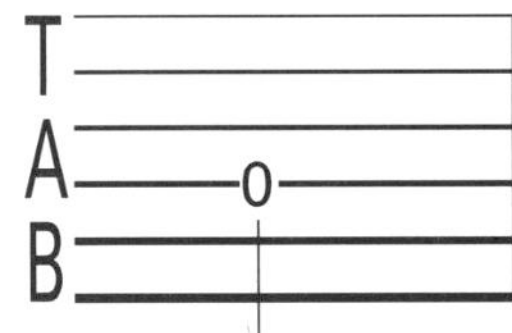

Die horizontalen Linien stellen die Saiten der Gitarre dar: Von der tiefen 6. Saite (unterste Linie) zur hohen 1. Saite (oberste Linie)

Die Ziffern stellen die Greifpunkte für die Finger der linken Hand dar:
0 = leere Saite, 1 = 1. Bund, 2 = 2. Bund usw.

Schwierigkeitsgrad

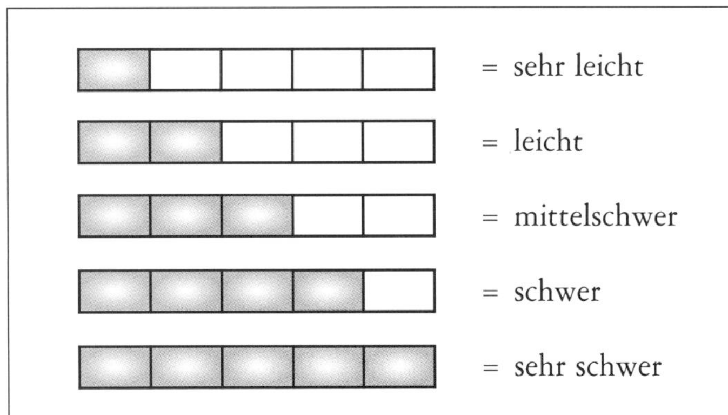

Strumming-Pattern (= Schlag-Muster)

↑ Abschlag: Von der tiefen 6. Saite zur hohen 1. Saite, mit a-m-i gleichzeitig oder nur mit i

Abschlag im Notentext, über die angegebenen Noten

↓ Aufschlag: Von der hohen 1. Saite zur tiefen 6. Saite, mit p oder i

V Aufschlag im Notentext, über die angegebenen Noten

↑↓ Kurzer Pfeil: Abschlag bzw. Aufschlag nur über die tiefen oder hohen Saiten, je nach Position im Strumming-Pattern

M Percussion-Schlag: Mit der offenen Handfläche (M) auf die Saiten klopfen

F Percussion-Schlag: Mit der Faust (F) auf die Saiten klopfen. Besonderheit: Kommt nach diesem Percussion-Schlag ein Abschlag mit a-m-i, so erfolgt dieser Abschlag direkt von der Position an den Saiten heraus, ohne erneutes Ansetzen!

i „Zip"-Schlag: Zeigefinger (i) schlägt an, gleichzeitig dämpft der Daumen der rechten Hand (oder die Handkante) die Saiten ab.

Luftschlag: Die Finger (das Plektrum) berühren bei ihrer Bewegung (Ab- oder Aufschlag) **nicht** die Saiten.

Percussion in der linken Hand: Saiten nicht bis auf das Griffbrett niederdrücken

4/4 Taktangabe = Viervierteltakt

1 + 2 + 3 + 4 +

Zähle: Eins und zwei und drei und vier und

> Akzent: lauter anschlagen

· Staccato: so kurz wie möglich

Apologize

Basics

Original

„Apologize" war 2006 der erste Hit der amerikanischen Band OneRepublic und in der Remix-Version von Timbaland ein großer internationaler Erfolg.
Dieser Four-Chord-Song mit den Stufen VIm-IV-I-V steht im Original in Es-Dur. Ein Klavier spielt das instrumentale Intro, das wie eine Gitarrenzerlegung klingt und in C-Dur auf der Gitarre auch einfach in der I. Lage zu spielen ist.
Mit Kapodaster am III. Bund spielst du in der Originaltonart.

Das Melodiemotiv a-g-a-g-a, das im Vers an jedem Zeilenanfang steht und auch im Refrain vorkommt, spiele ich auf der Gitarre als Bindung: also nur einmal anschlagen und dann abziehen und aufklopfen mit dem Mittelfinger der linken Hand. Dadurch entsteht ein schöner Kontrast zur Achtelzerlegung des Intros und der Begleitung.

Basic Strumming

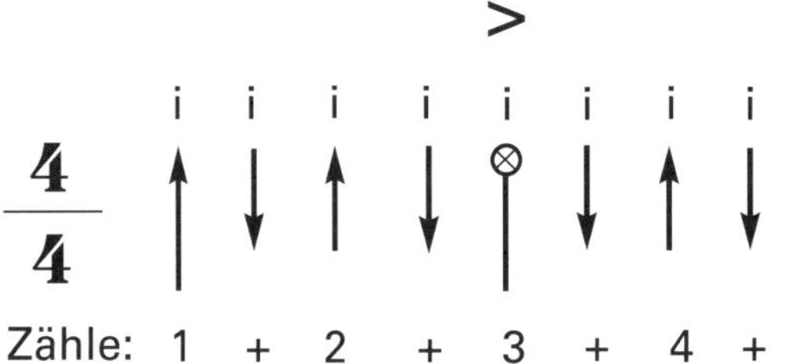

Akkorde Strumming

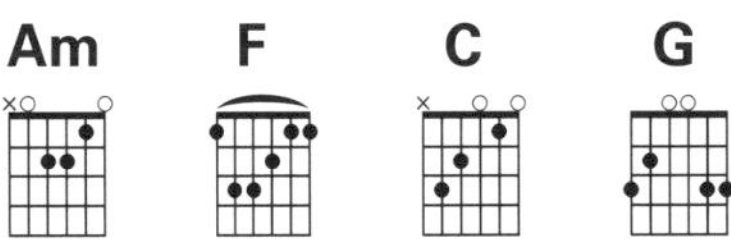

Basic Picking

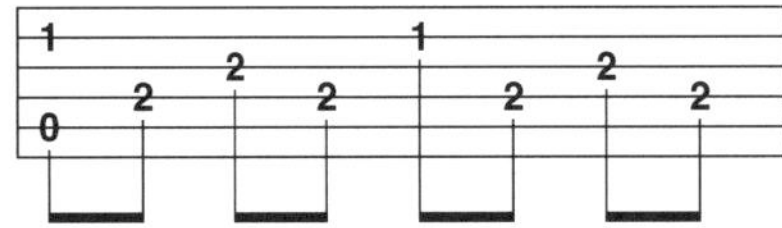

Akkorde Picking

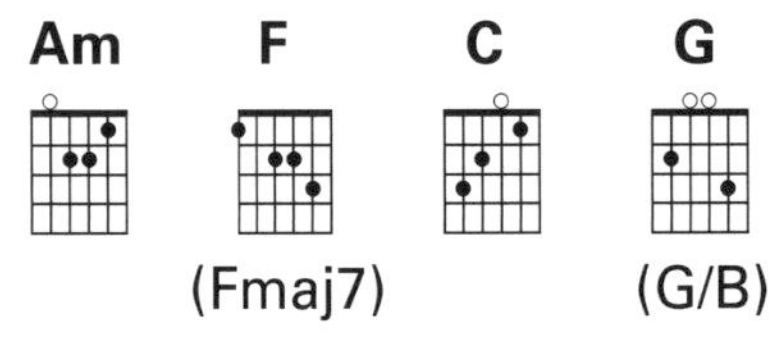

Text + Akkorde

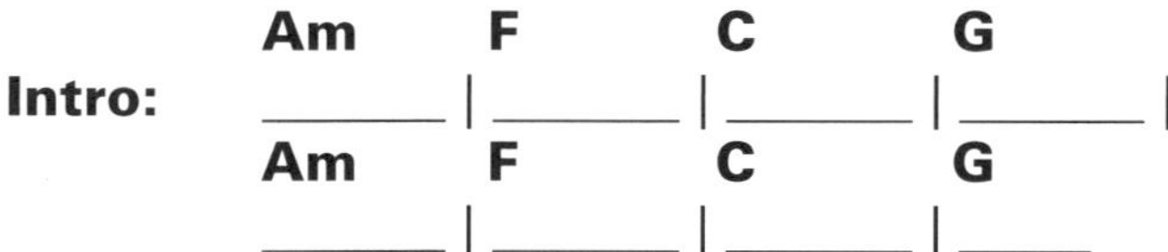

```
Intro:    Am       F        C        G
          _______ | _______ | _______ | _______ |
          Am       F        C        G
          _______ | _______ | _______ | _____
```

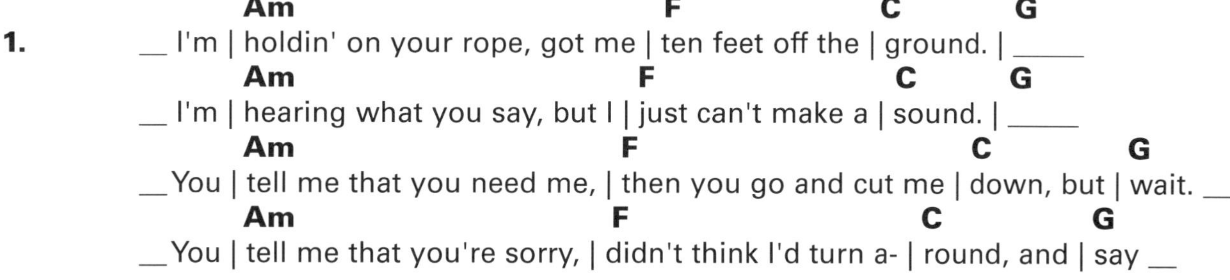

```
1.               Am                              F               C         G
          __ I'm | holdin' on your rope, got me | ten feet off the | ground. | _____
                 Am                            F                 C       G
          __ I'm | hearing what you say, but I | just can't make a | sound. | _____
                 Am                         F                               C          G
          __You | tell me that you need me, | then you go and cut me | down, but | wait. __
                 Am                          F                         C            G
          __You | tell me that you're sorry, | didn't think I'd turn a- | round, and | say __
```

```
                      Am                          F        C          G
Refrain:  __ that it's | too late to apologize. | __ It's | too late. | _____
                       Am                         F        C          G
          __ I said it's | too late to apologize. | __ It's | too late. | _____
```

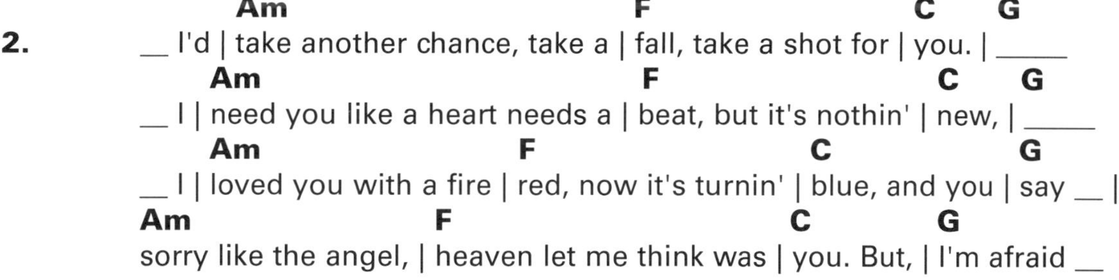

```
                Am                             F                      C     G
2.        __ I'd | take another chance, take a | fall, take a shot for | you. | _____
              Am                               F                     C     G
          __ I | need you like a heart needs a | beat, but it's nothin' | new, | _____
              Am                  F                     C                  G
          __ I | loved you with a fire | red, now it's turnin' | blue, and you | say __ |
          Am                     F                          C          G
          sorry like the angel, | heaven let me think was | you. But, | I'm afraid __
```

```
                 Am                       F        C          G
Refrain:  __ it's | too late to apologize. | __ It's | too late. | _____
                       Am                         F        C          G
          __ I said it's | too late to apologize. | __ It's | too late. | _____
```

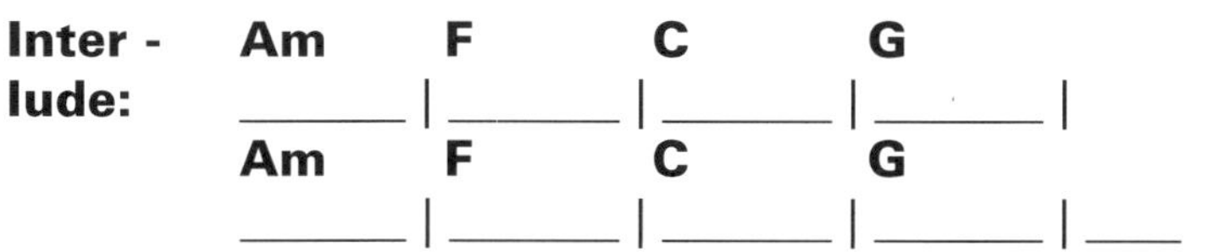

```
Inter -   Am       F        C        G
lude:     _______ | _______ | _______ | _______ |
          Am       F        C        G
          _______ | _______ | _______ | _______ | ____
```

Refrain:

```
                 Am                              F               C
Outro:    __ I'm | holdin' on your rope, got me | ten feet off the | ground. |
```

Apologize

Noten

Words & Music by Ryan Tedder

arr.: Michael Langer

Intro

01

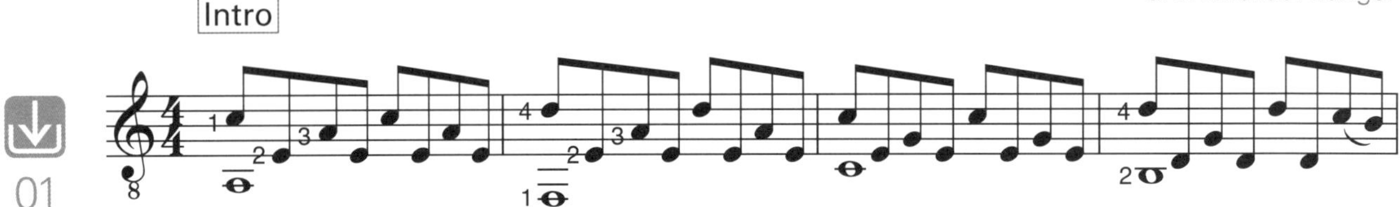

Vers

Refrain

1.
2.
Interlude
4
1
1
Refrain
f
Outro

Apologize

TAB

Words & Music by Ryan Tedder

arr.: Michael Langer

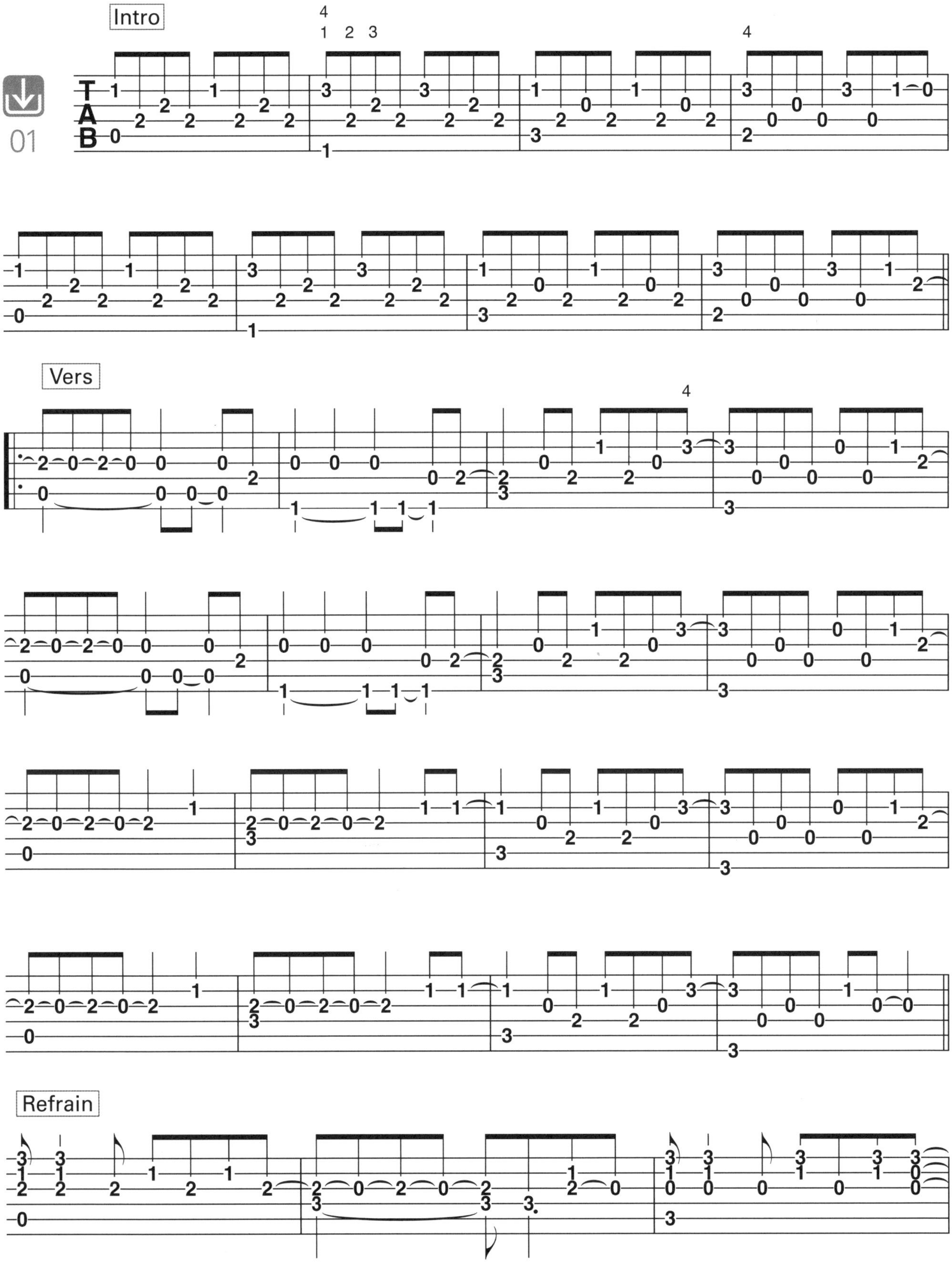

01

Intro

Vers

Refrain

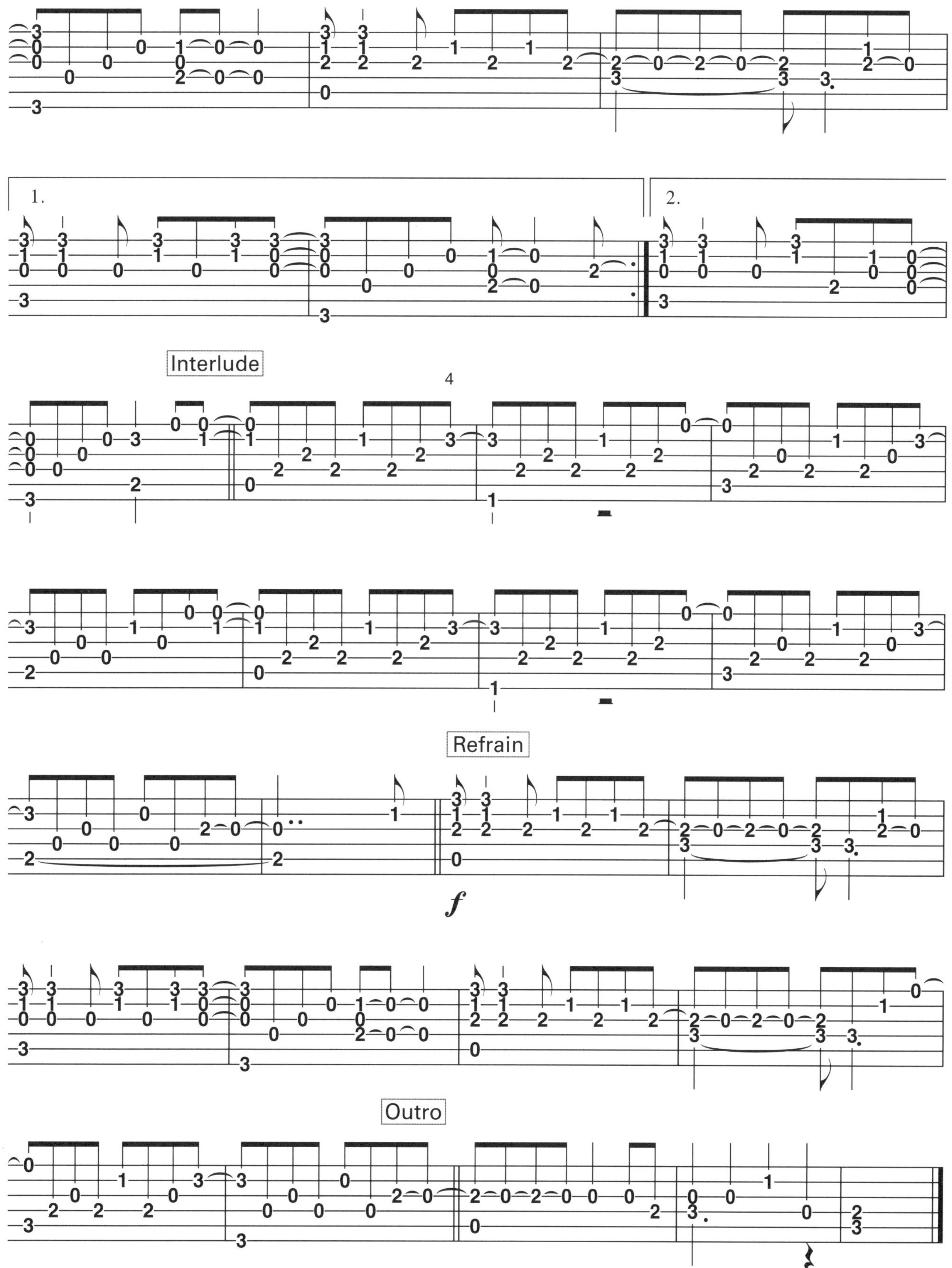
1.
2.
Interlude
4
Refrain
Outro

Breakfast In America

Basics

Original

Supertramps „Breakfast In America“ aus dem Jahr 1979 ist eines dieser Lieder, die nie ein weltweiter Nr.-1-Hit waren, aber trotzdem zur großen Rock-History gehören. Das vor allem durch den typischen Supertramp-Klang: Ein Rhythm&Blues-E-Piano, die Pop-Falsettstimme von Roger Hodgson und unübliche Sounds wie zum Beispiel die Klarinette bei „Breakfast In America“.

Die Originaltonart ist c-Moll. In a-Moll ist „Breakfast In America“ auf der Gitarre einfacher spielbar und das leichteste Arrangement in diesem Buch. Mit Kapodaster am III. Bund spielst du in der Originaltonart.
Bitte beachte die Dämpfzeichen im Bass. Leere Bässe werden mit dem Daumen gedämpft.

Basic Strumming

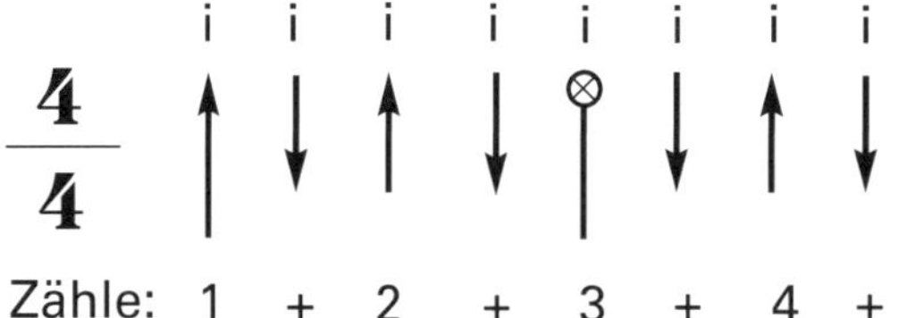

Akkorde Strumming

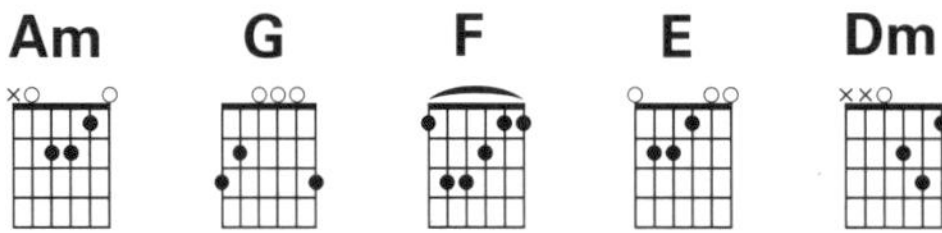

Basic Picking

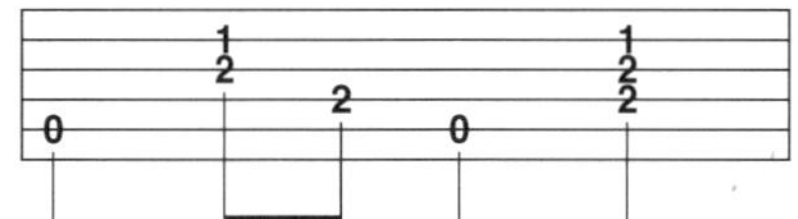

Akkorde Picking

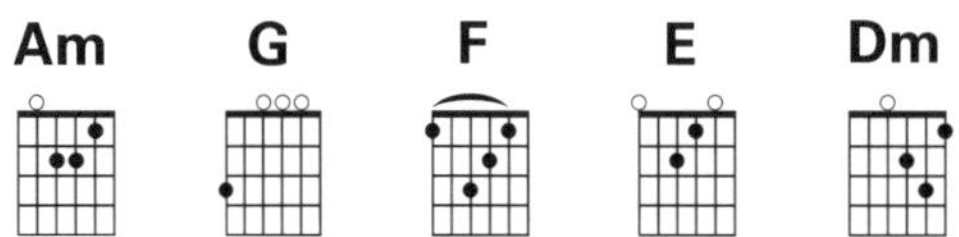

bei d-Moll: Pattern auf 1.-4. Saite

Text + Akkorde

Intro:
Am
_____ | _____ |

1.
Am **G** **F**
__Take a look at my | girlfriend, | she's the only one I got. | _____ |
Am **G** **F**
__ Not much of a | girlfriend, I | never seem to get a lot. | _____ |
E **Am**
__Take a jumbo, | __ 'cross the water, | like to see America, | _____ |
E **Dm** **G**
__ see the girls in | __ California, I'm | hoping it's going to come | true. __
Dm **G**
__ but there's | not a lot I can | do. ___ | _____ |

2.
Am **G** **F**
Could we have kippers for | breakfast, | mummy dear, mummy dear? | _____ |
Am **G** **F**
__They got to have 'em in |Texas, 'cause | everyone's a millionaire. | _____ |
E **Am**
__ I'm a winner, | __ I'm a sinner, | do you want my autograph? | _____ |
E **Dm** **G**
__ I'm a loser, | __ what a joker, I'm | playing my jokes upon | you __
Dm **G**
__ while there's | nothing better to | do. ___ | _____ |

Refrain 1:
E **Am**
Ba-ba-ba-dow, | __ ba-ba-dow-ba-ba- | dow-di-dow-di-dow. | _____ |
E **Am**
Ba-ba-ba-dow, | __ ba-ba-dow-ba-ba- | dow-di-dow-di-dow. | __ Na na |
F **Dm** **G**
na, __ | __ na na | na na | na na na. | _____ |

1.

Refrain 2:
E **Am**
Ba-ba-ba-dow, | __ ba-ba-dow-ba-ba- | dow-di-dow-di-dow. | _____ |
E **Am**
Ba-ba-ba-dow, | __ ba-ba-dow-ba-ba- | dow-di-dow-di-dow. | __ Hey- |
E **Am**
Ba-ba-ba-dow, | __ ba-ba-dow-ba-ba- | dow-di-dow-di-dow. | _____ |
E **Am**
Ba-ba-ba-dow, | __ ba-ba-dow-ba-ba- | dow-di-dow-di-dow. | __ Na na |
F **Dm** **G**
na, __ | __ na na | na na | na na | na. __ |

Breakfast In America

Noten

Words & Music by Richard Davies & Charles Roger Hodgson

arr.: Michael Langer

Refrain
D.S. al Coda

Breakfast In America

TAB

Words & Music by Richard Davies & Charles Roger Hodgson

arr.: Michael Langer

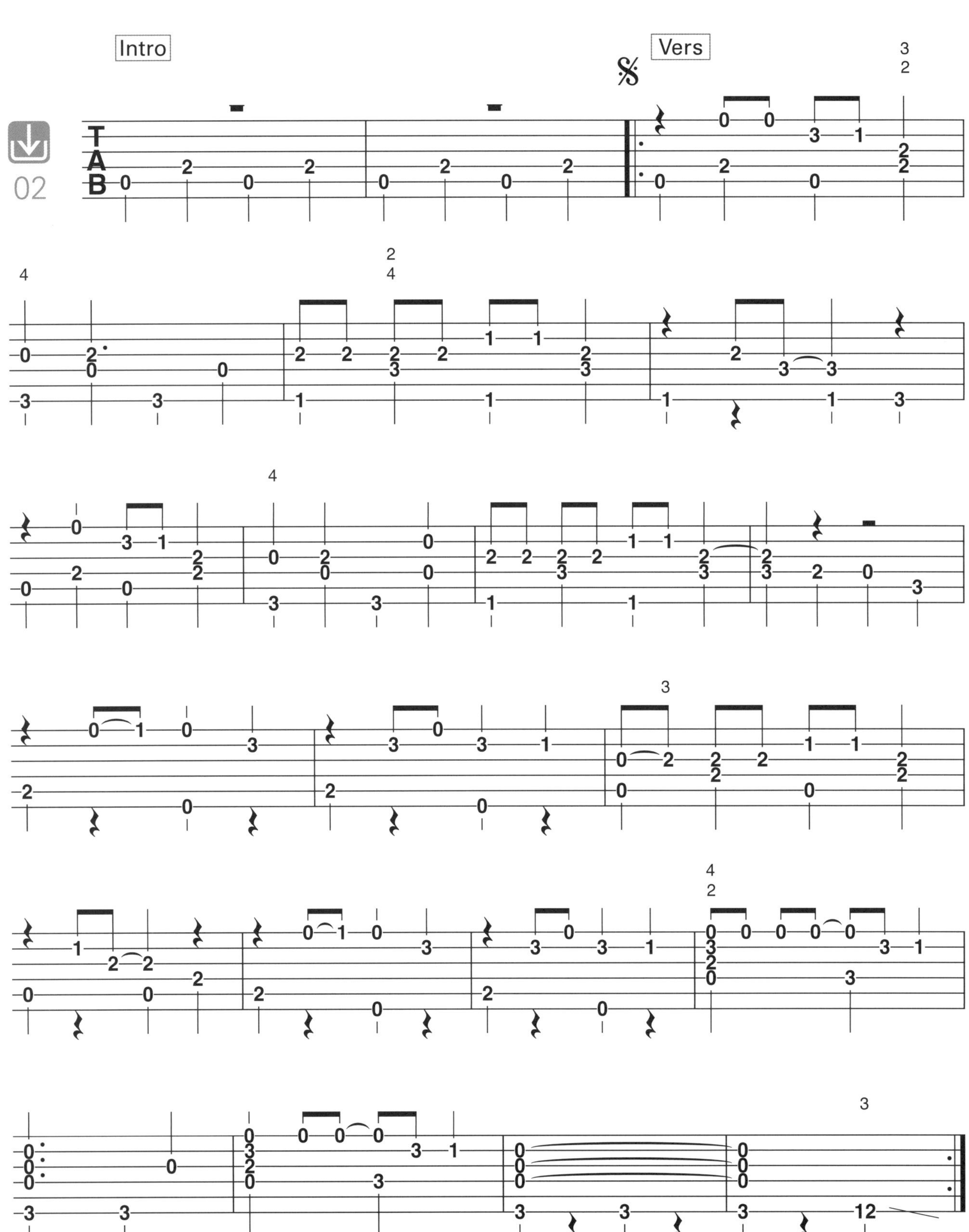

Refrain

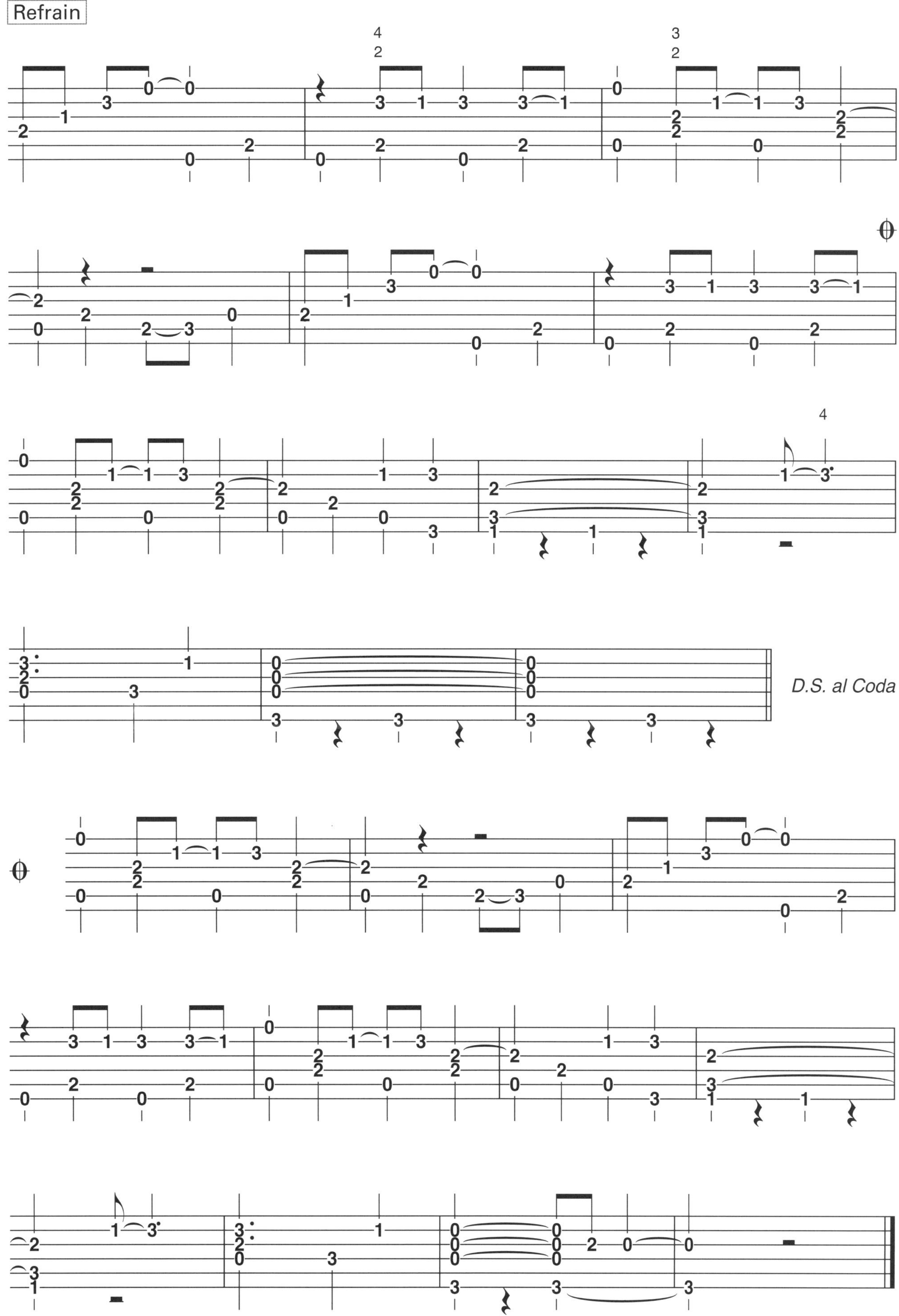

Count On Me

Basics

Original

„Count On Me“ erschien 2010 auf dem ersten Album des amerikanischen Singer-Songwriters Bruno Mars.
Die einen Kritiker loben die „uplifting vibes“ dieses Happy-Pop-Songs, die anderen kritisieren Text und „Sacharin-Sound“. So erscheint es schlüssig, dass „Count On Me“ in mehreren internationalen Werbekampagnen für Autos, Süßigkeiten etc. wiederveröffentlicht wurde.

Für eine Instrumentalversion auf der Gitarre wird „Count On Me“ interessant wegen dem extrem einfachen Basic Picking, das sich in der Solo-Version in eine Art „Pop-Ragtime-Picking“ im Bass umwandeln lässt. So wird in der Oberstimme Platz frei für die Melodie.

Die beiden TAP-Schläge in der 6. Zeile sollen mit einem oder mehreren Fingern auf die Decke ausgeführt werden und einen trockenen Percussion-Sound ergeben.

Basic Strumming

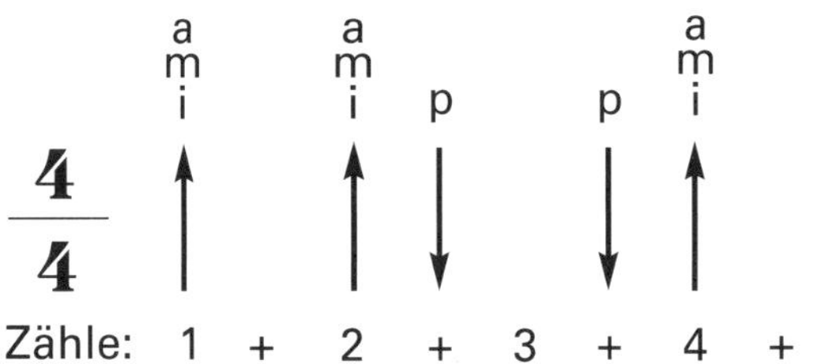

Akkorde Strumming

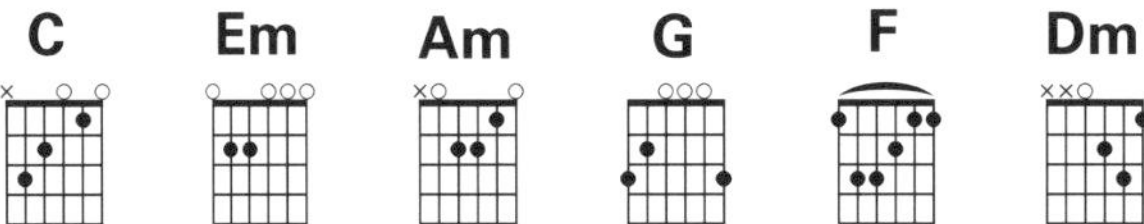

Basic Picking

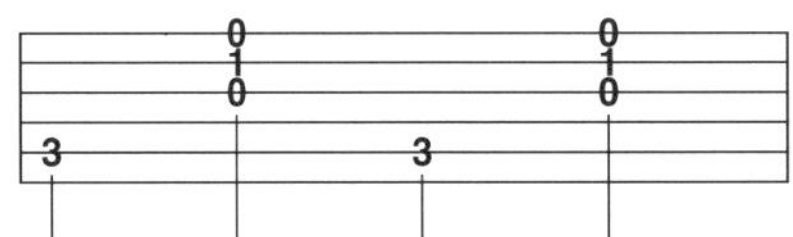

Akkorde Picking

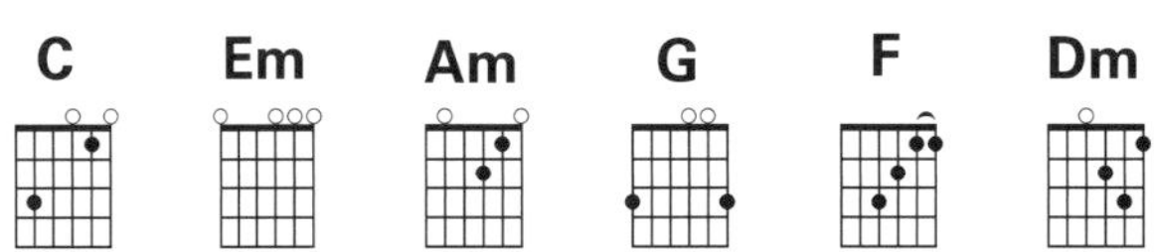

C
Intro: ____ | __

C Em
1. __ If you | ever find yourself stuck | in the middle of the | sea, | ___
Am G F
__ I'll | sail the world | __ to | find you. | ____
C Em
__ If you | ever find yourself lost | in the dark and you can't | see, | ___
Am G F
__ I'll | be the light | __ to | guide you. | ____ |
Dm Em
__ We | find out what we're | made of | __
F G
__ when | we are called to | help our friends in | need. | __You can |

C Em
Refrain: count on | me like | one, two, | three, I'll |
Am G F
be there | __ and | I know when I | need it I can |
C Em
count on | you like | four, three, | two, you'll |
Am G F
be there | __ 'cause | that's what friends are sup- | posed to do, oh |
C Em Am G F G
yeah. | Oh, __ | ____ | oh, __ | ____ | ____ | yeah, | yeah. __

C Em
2. __ If you | tossin' and you're turnin' and you | just can't fall a- | sleep, | ___
Am G F
__ I'll | sing a song | __ be- | side you. | ___
C Em
__ And if you | ever forget how | much you really mean to | me, | ___
Am G F
__ every- | day I will | __ re- | mind you. | __ Oh, |
Dm Em
_____ | find out what we're | made of | __
F G
__ when | we are called to | help our friends in | need. | __You can |

Refrain:

Dm Em Am G
Bridge: __You'll | always | have my | shoulder | when you | cry. __ | ____ | ____ | __
Dm Em Am G
__ I'll | never | let go | never | say good- | bye. __ | ____ |You know | you can |

Refrain:

F G C
Outro: __You can | count on me 'cause | I can count on | you. __ |

Count On Me

Noten

Words & Music by Peter Hernandez, Ari Levine & Philip Lawrence

arr.: Michael Langer

Bridge
1.
2.
1.
2.
D.S. al Coda
Outro

Count On Me

TAB

Words & Music by Peter Hernandez, Ari Levine & Philip Lawrence

arr.: Michael Langer

03

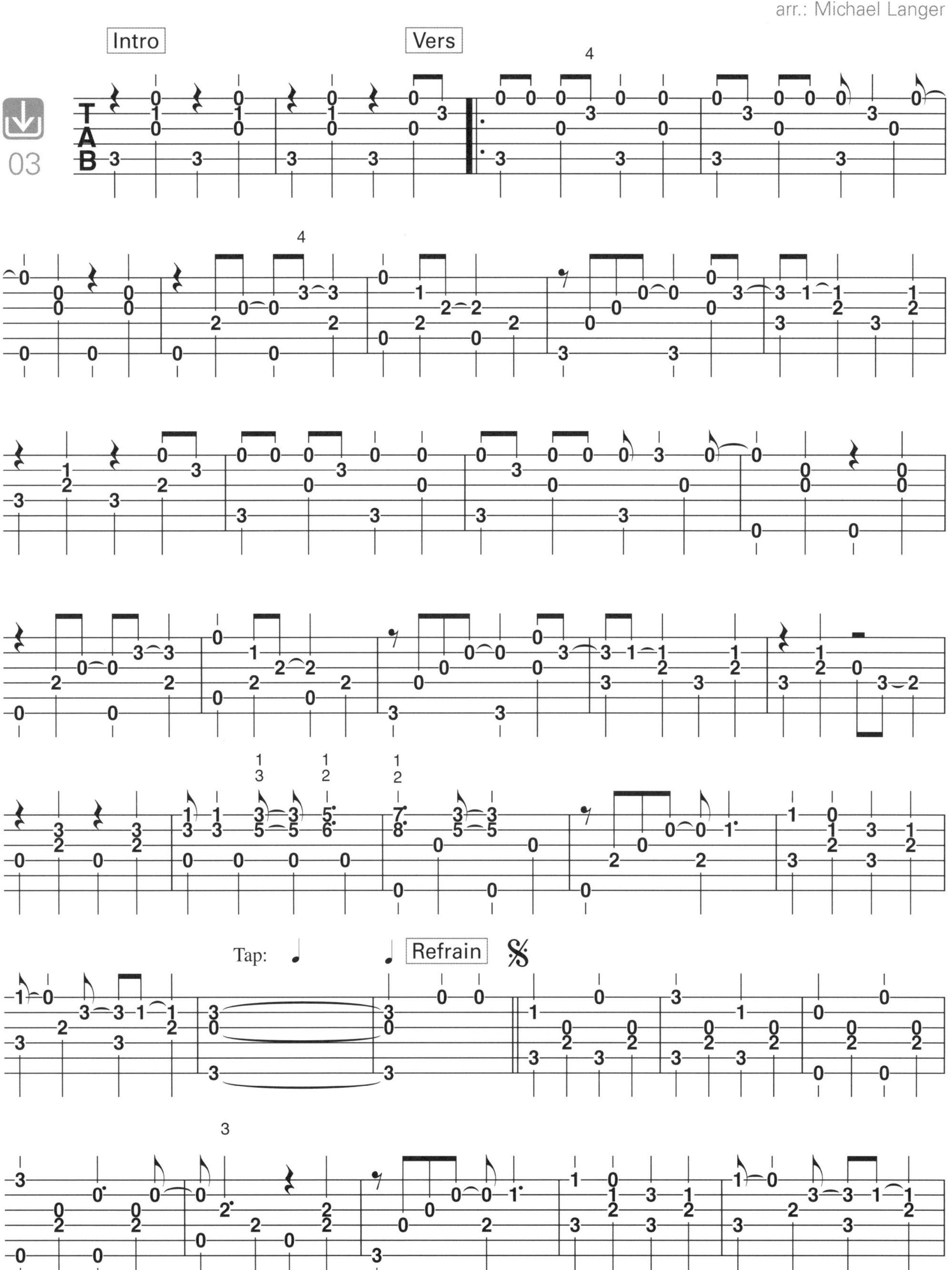

1.
2.
Bridge
1.
2.
D.S. al Coda
Outro

Crazy Little Thing Called Love

Basics

Original

„Crazy Little Thing Called Love" ist einer der großen Klassiker der britischen Rockband Queen aus dem Jahre 1979.
Freddie Mercury wollte einen Rockabilly-Song im Stil von Elvis Presley schreiben und erzählte über die Entstehung des Liedes: „Für 'Crazy Little Thing Called Love' brauchte ich nur zehn Minuten. Ich habe es auf meiner Gitarre komponiert, welche ich überhaupt nicht gut spielen kann, da ich nur wenige Akkorde zur Verfügung hatte." Wenn man sich die Strumming-Akkorde anschaut, findet man immerhin alle auf der Gitarre gängigen Dur-Akkorde des Quintenzirkels.

In der Version von Edgar Cruz ist „Crazy Little Thing Called Love" schon ein Klassiker des Fingerstyle-Repertoires geworden.
Ich habe versucht, seine Ideen zur vereinfachen und trotzdem die originale Rockabilly-Idee von Freddie Mercury mit der reizvollen Fingerstyle-Mischung von Picking-Melodie und Strumming-Begleitung zu erhalten.

Zur Percussion-Stelle in der vorletzten Zeile auf Seite 31 (TAB Seite 33): LH: Linke Hand klopft flach auf das Griffbrett, RH: Rechte Hand spielt String Clicking über dem Schallloch.
Bitte beachte bei Strumming und Picking: Akkordwechsel immer schon auf Zählzeit 4+!

Basic Strumming

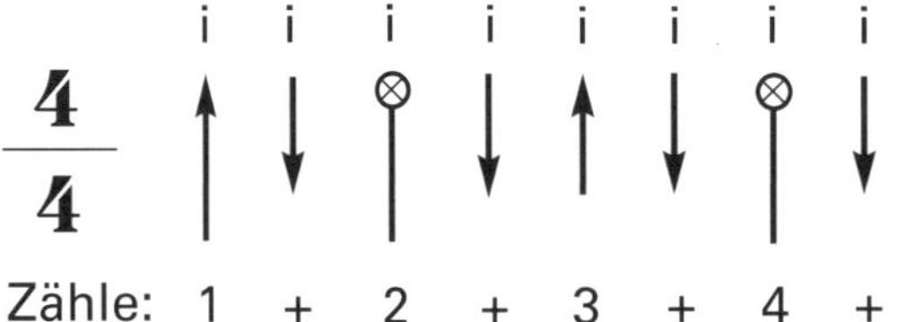

Akkorde Strumming

Basic Picking

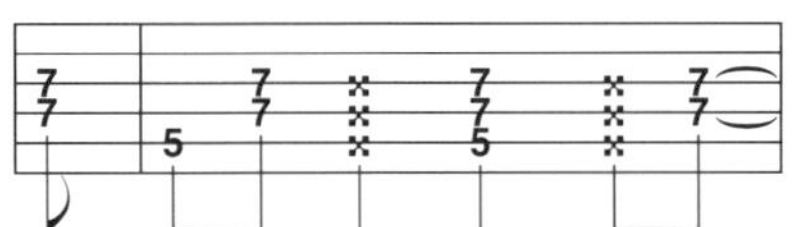

Akkorde Picking

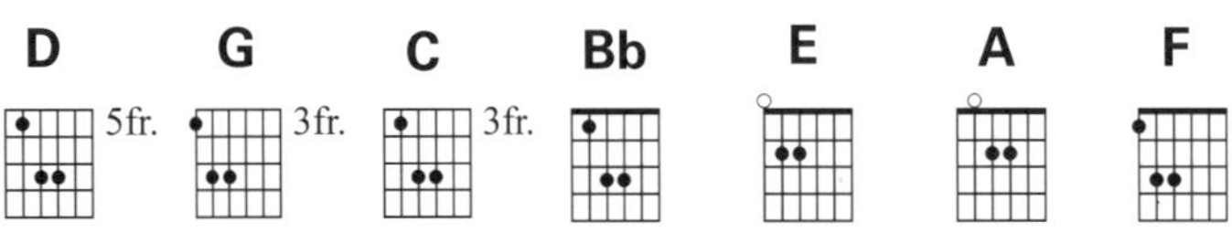

Text + Akkorde

D
Intro: ____ | ____ | ____ | __

D G C G
1. __This | thing called | love, I | just can't | handle it, __
D G C G
__ this | thing called | love, I | must get | round to it, __
D Bb C D
__ I ain't | ready. | Crazy little thing called | love. | ___

D G C G
2. __This | thing called | love, it | cries in a | cradle all night, __
D G C G
__ it | swings it | jives, it | shakes all over like a | jelly fish, __
D Bb C D
__ I kind- a | like it. | Crazy little thing called | love. | __

G C G
Refrain: __There goes my | baby, | __ she | knows how to rock 'n' | roll. __
Bb E A
__ She drives me | crazy, | __ she gives me | hot and cold fever, then she |
F E A
leaves me in a cool, cool | sweat. | ____ | ____ | __

D G C G
3. __ I gotta be | cool, re- | lax, get | hip, get | on my track's, __ take a |
D G C G
back seat, hitch- | hike, and | take a long ride on my | motorbike __
D Bb C D
__ until I'm | ready. | Crazy little thing called | love. | ___

(Das Solo-Arrangement endet hier.)

Refrain:

3.

1.

Bb C D
Outro: Crazy little thing called | love. |
Bb C D
Crazy little thing called | love. |
Bb C D
Crazy little thing called | love. |
Bb C D
Crazy little thing called | love. |

Crazy Little Thing Called Love

Noten

Words & Music by Frederick Mercury

arr.: Michael Langer

1.
Refrain
p i
Flag.
VII
I
LH RH LH RH
LH RH LH RH
II
2.

Crazy Little Thing Called Love

TAB

Words & Music by Frederick Mercury

arr.: Michael Langer

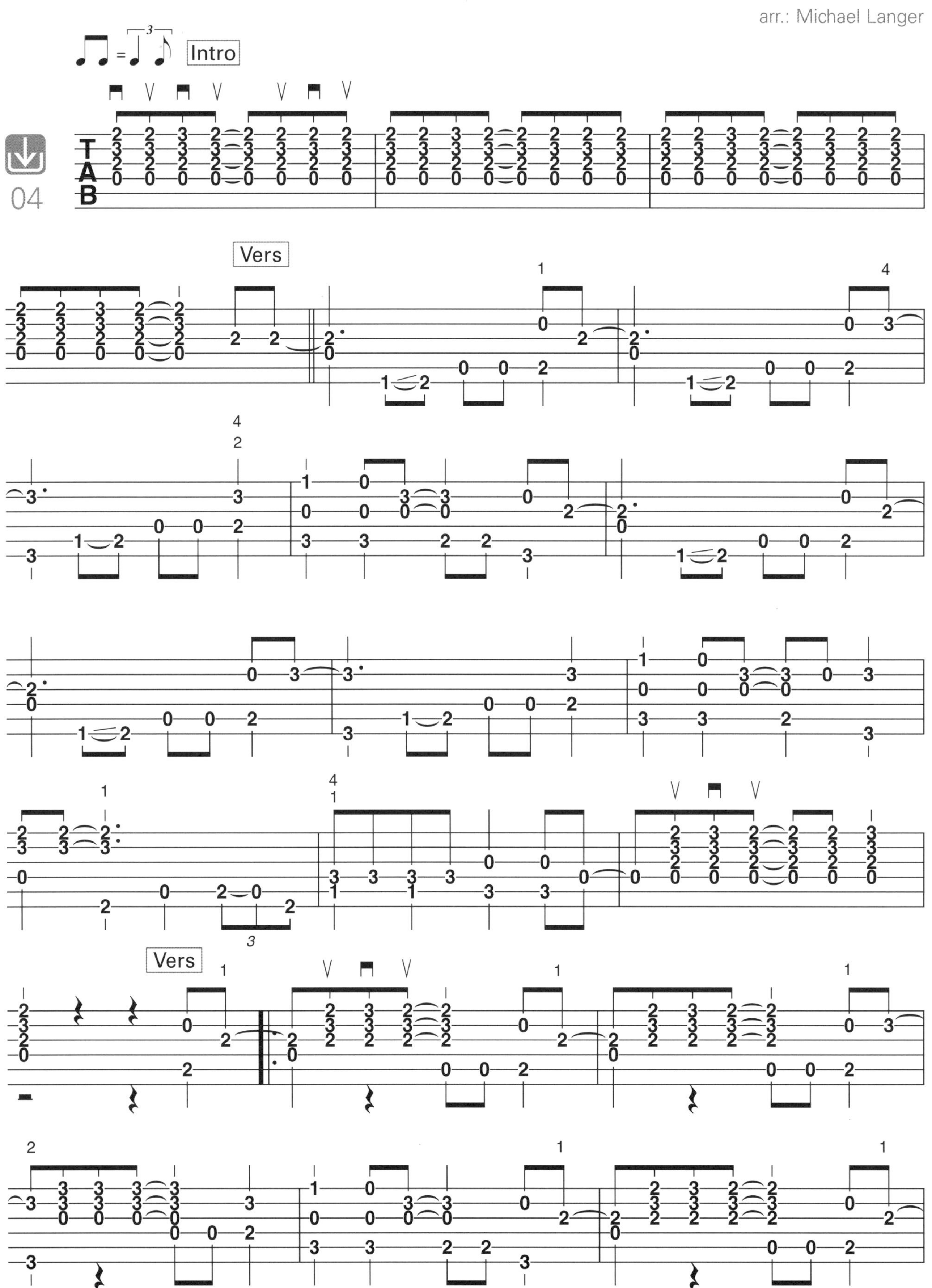

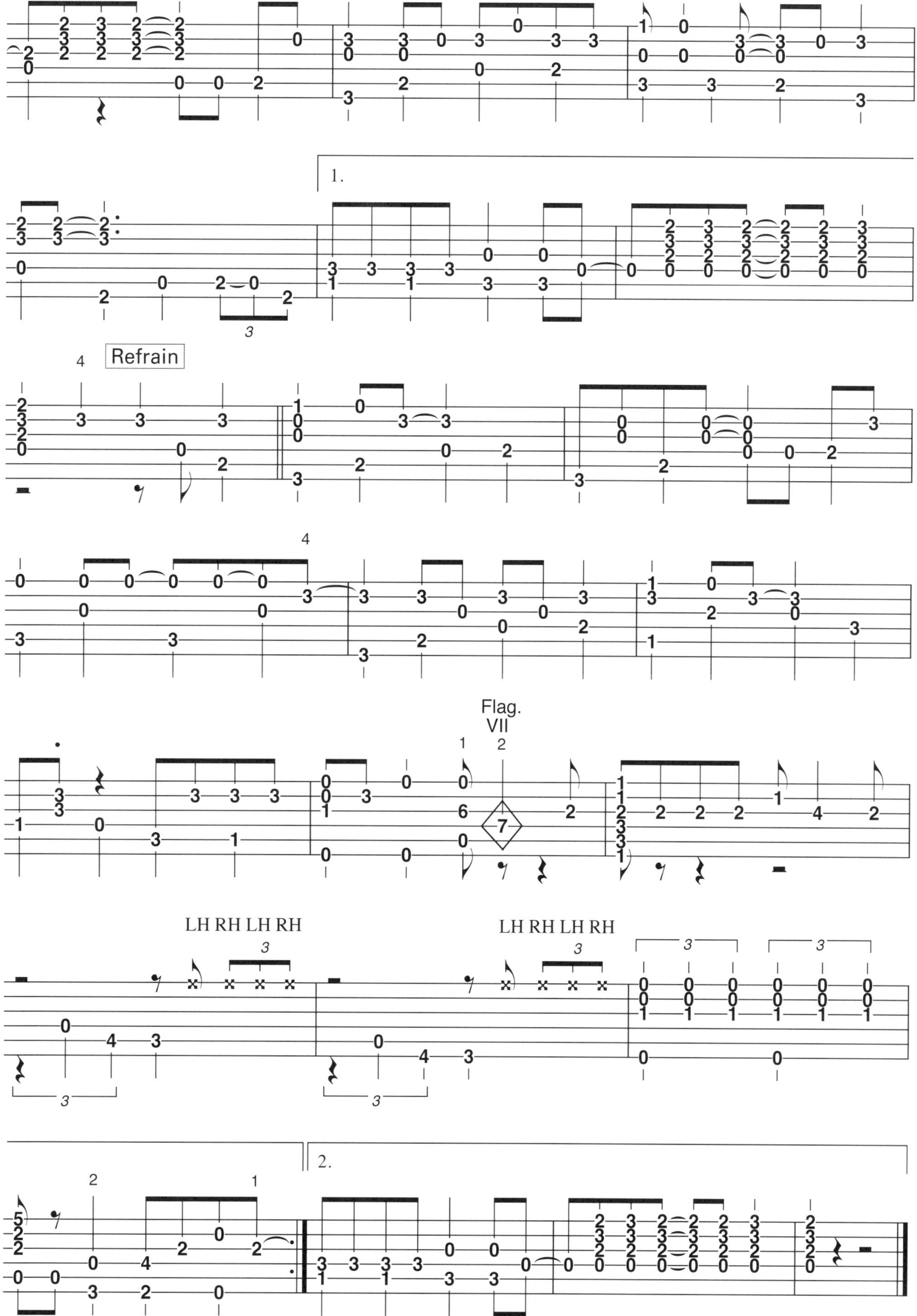
1.
Refrain
Flag.
VII
LH RH LH RH
LH RH LH RH
2.

Despacito

Basics

Original

„Despacito" heißt auf spanisch „langsam, gemächlich" und entwickelte sich – im Winter 2017 erschienen – langsam und gemächlich zu einem weltweiten Sommerhit. Dieses von dem puerto-ricanischen Sänger Luis Fonsi gesungene Lied ist der bislang meistgesehene You Tube-Clip.

„Despacito" ist ein Four-Chord-Song und hat mit VIm-IV-I-V exakt dieselben Akkordstufen und mit C-Dur auch die gleiche Tonart wie „Apologize", als Mischung von Latin Pop mit Reggae-Einflüssen aber eine ganz andere Rhythmik.
Das Basic Strumming mit seinem Rumba-Groove deckt den Latin-Pop-Anteil ab. M bezeichnet einen Schlag mit der Handfläche auf die Saiten. Schlägt man auf Zählzeit 1 neben dem Steg und auf Zählzeit 3 am Griffbrett auf die Saiten, bekommt man den originalen Gypsy-Kings-Sound.
Das Basic Picking bringt mit seinen kurzen Akkorden auf Zählzeit 2 und 4 einen Reggae-Anteil ins Spiel.
Im Solo-Arrangement habe ich aus Platzgründen und zur Straffung auf den 2. Vers verzichtet.

Basic Strumming

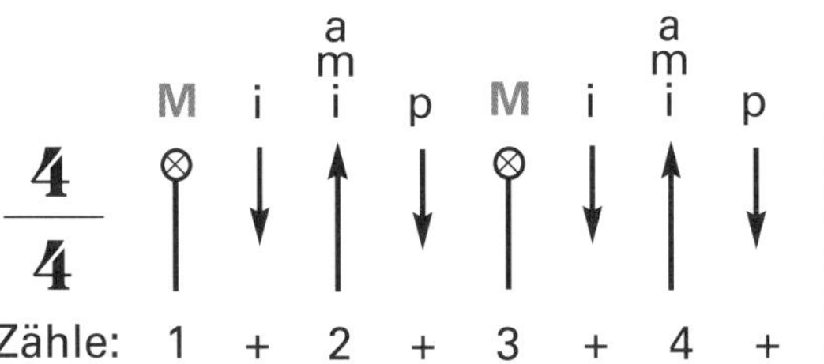

Akkorde Strumming

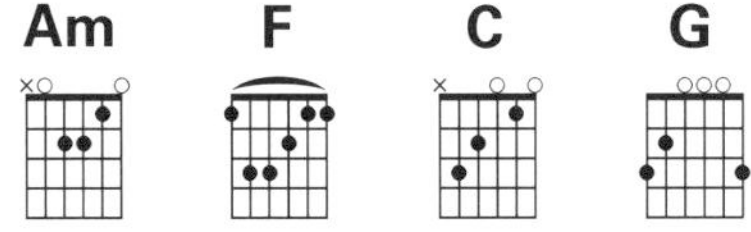

Basic Picking

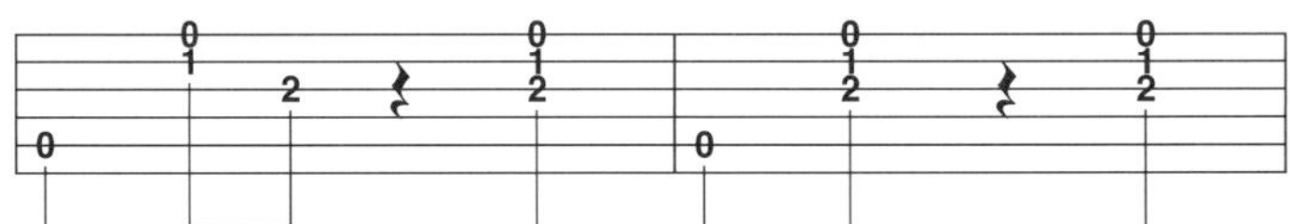

Akkorde Picking

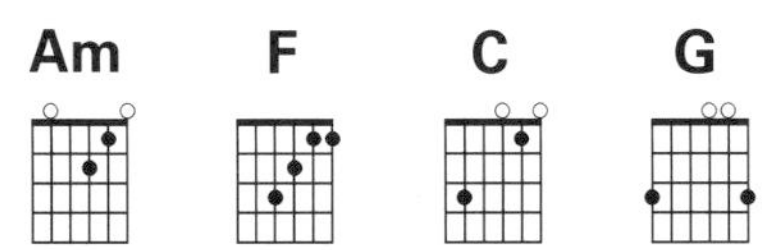

```
         Am          F           C           G
Intro:   ____ | ____ | ____ | ____ | ____ | ____ | ____ | ____ |

         Am                             F
1.       Sí, sabes que | ya llevo un rato mi- | rándote, | ____ |
         C                        G
         tengo que bai- | lar contigo | hoy. | ____ |
         Am                          F
         Vi que tu mi- | rada ya estaba lla- | mándome, | ____ |
         C                                G            Am
         Muéstrame el ca- | mino que yo | voy. | ____ |Tú, tú eres el i- |
                                  F
         mán y yo soy el me- | tal, me voy acer- | cando y voy armando el |
         C                                  G              Am
         plan, solo con pen- | sarlo se acelera el | pulso. | ____ |Ya, ya me está gus- |
                                   F
         tando más de lo nor- | mal, todos mis- | sentidos van pidiendo |
         C                                          G
         más, esto hay que to- | marlo sin ningún a- | puro. |

                Am                                    F
Refrain 1: Despa- | cito, quiero respi- | rar tu cuello despa- | cito, deja que te | diga cosas al o- |
         C                                          G
         ído, para que te a- | cuerdes si no estás con- | migo. | Despa- |
         Am                                       F
         cito, quiero desnu- | darte a besos despa- | cito, firmo en las pa- |
                               C                                          G
         redes de tu labe- | rinto.  Y hacer de tu | cuerpo todo un manu- | scrito. | ____ |
         Am                                 F
         Quiero ver bailar tu | pelo quiero ser tu | ritmo | que le enseñes a mi |
         C                         G
         boca, | tus lugares favo- | ritos. | ____ |
         Am                                  F
         Déjame sobrepa- | sar tus zonas de pe- | ligro, | hasta provocar tus |
         C                             G
         gritos, | y que olvides tu ape- | llido. |

                       Am
Refrain 2: __ Pasito a pa- | sito, suave suave- | cito, nos vamos pe- |
         F
         gando poquito a po- | quito, cuando tú me |
         C
         besas con esa des- | treza, veo que eres ma- |
         G
         licia con delica- | deza. Pasito a pa- |
         Am
         sito, suave suave- | cito, nos vamos pe- |
         F
         gando, poquito a po- | quito, y es que esa bel- |
         C
         leza es un rompeca- | bezas, pero pa mon- |
         G
         tarlo aquí tengo la | pieza. |

Refrain 1:

         Am          F           C           G           C
Outro:   ____ | ____ | ____ | ____ | ____ | ____ | ____ | ____ | ____ |
```

Despacito

Noten

Words & Music by Erika Ender, Luis Fonsi Rodríguez & Ramon Ayala
arr.: Michael Langer

Refrain 2
D.S. al Coda
Outro

Despacito

TAB

Words & Music by Erika Ender, Luis Fonsi Rodríguez & Ramon Ayala

arr.: Michael Langer

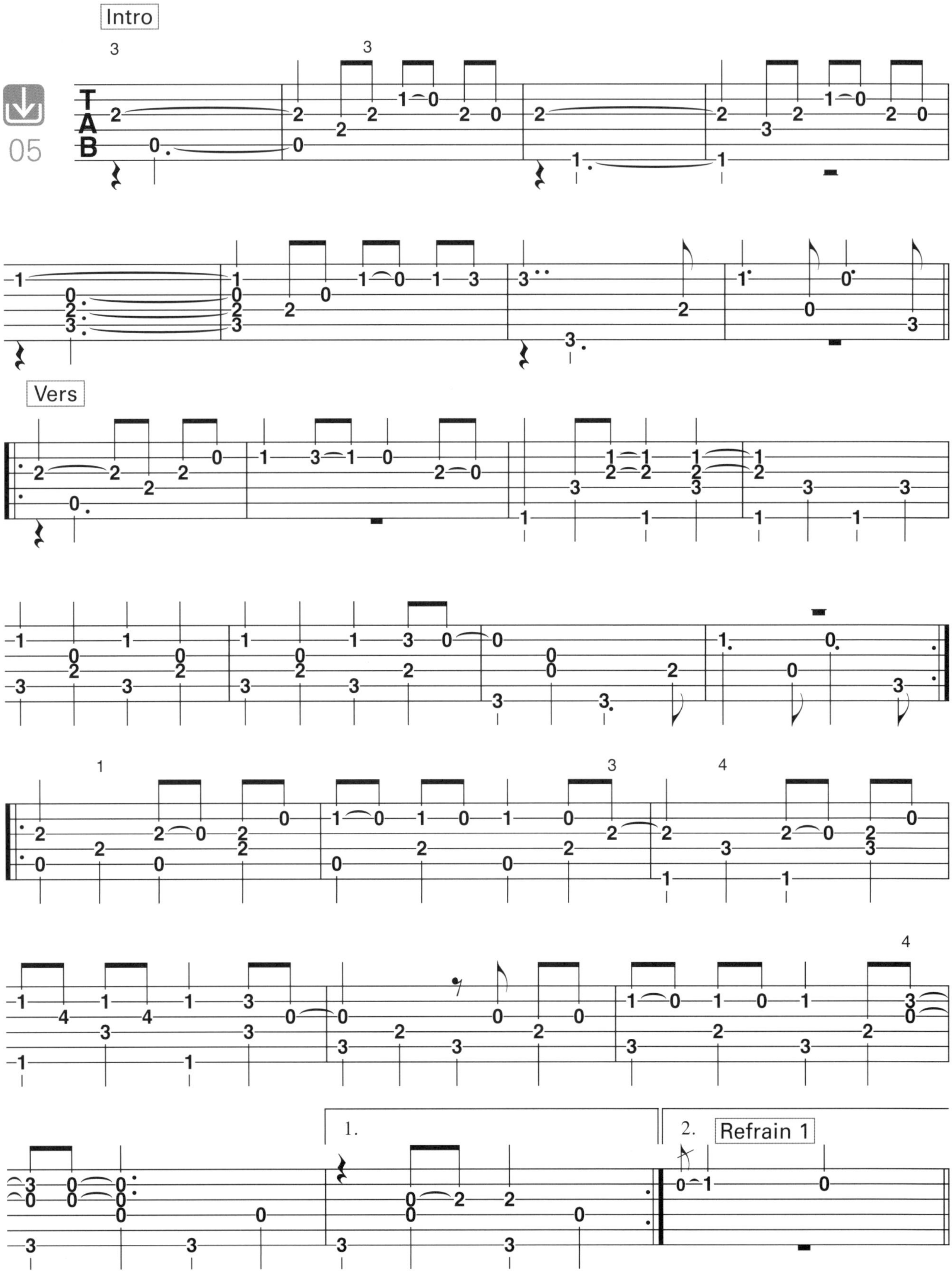

Intro

05

Vers

1. 2. Refrain 1

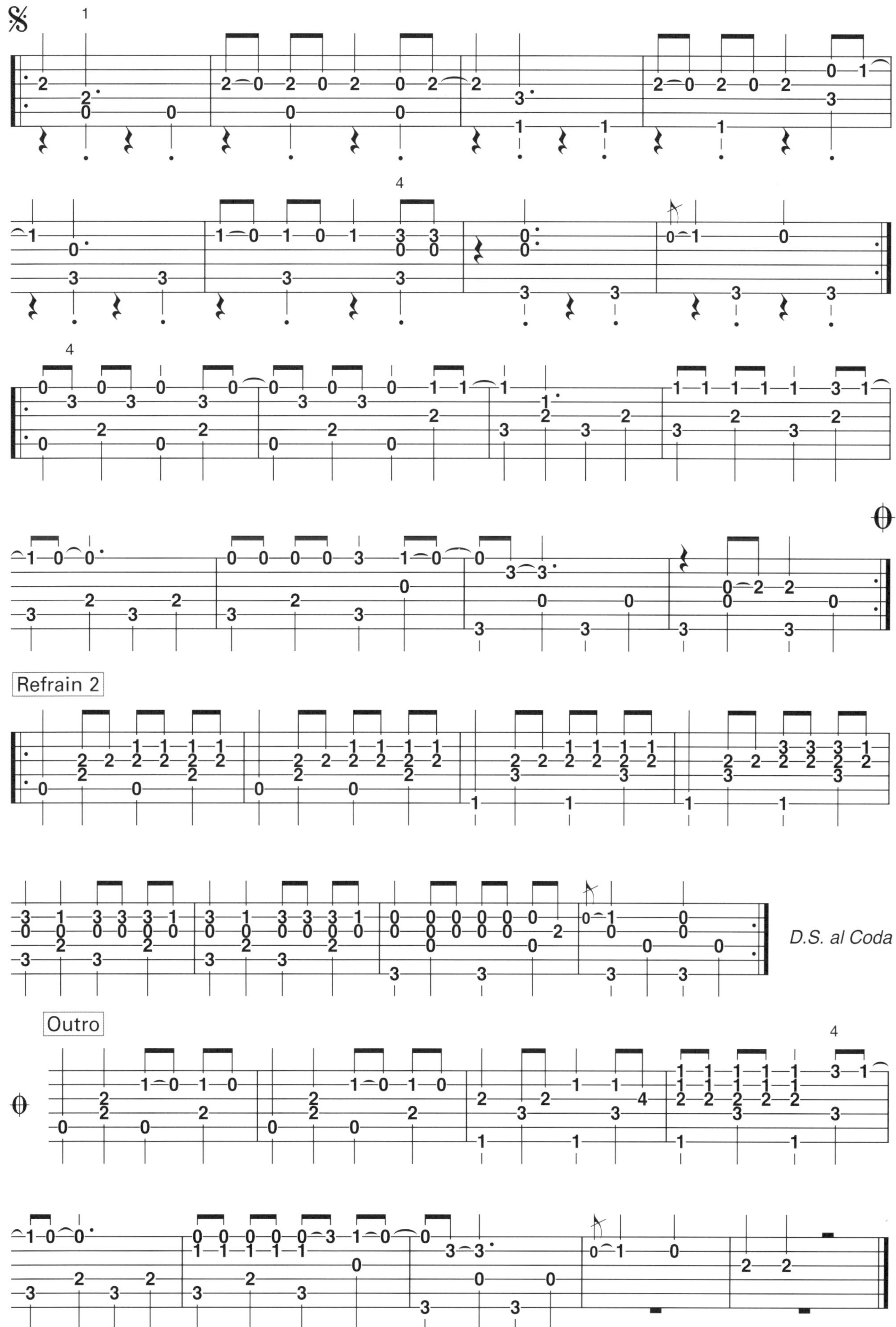
Refrain 2
D.S. al Coda
Outro

Free Fallin'

Basics

Original

„Free Fallin'" ist der erste Song auf Tom Pettys 1989-Debütalbum „Full Moon Fever" und wurde sein berühmtester Hit.
Mein Solo-Arrangement orientiert sich aber auch an John Mayers Cover-Version auf dem Live-Album „Where the light is" aus dem Jahre 2008.
Intro und Vers sind im Stil von John Mayer arrangiert. Die Soloversion des Refrains habe ich aus dem Intro-Gitarrenriff des Tom-Petty-Originals entwickelt.
Deswegen findest du auch in Strumming und Picking zwei verschiedene Varianten für den A-Dur-Akkord.

Ich habe bei meiner Aufnahme aus klanglichen Gründen mit dem Capo am III. Bund gespielt.

Basic Strumming

Zwei-Takt-Pattern

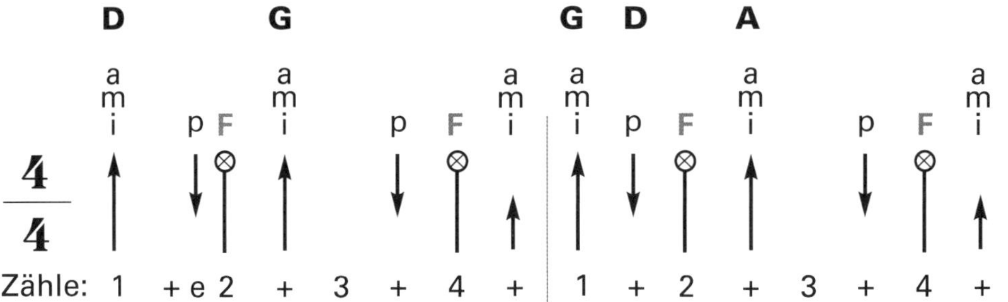

Akkorde Strumming

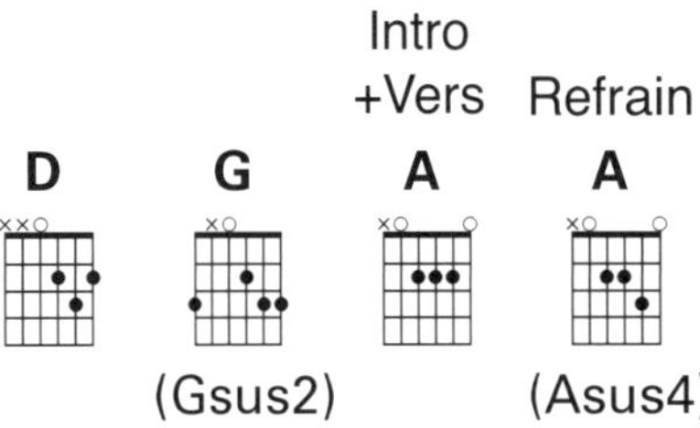

Basic Picking

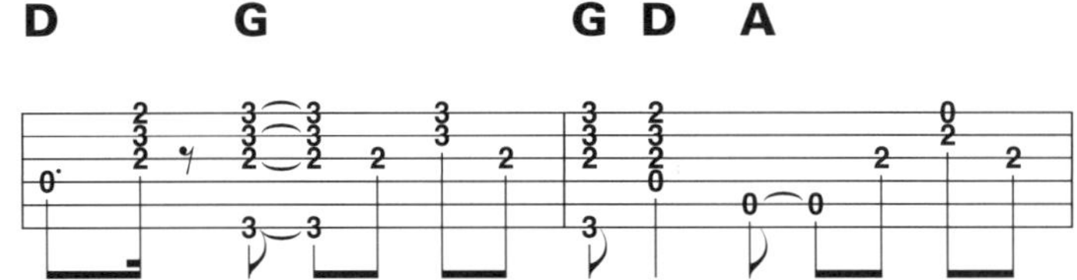

Akkorde Picking

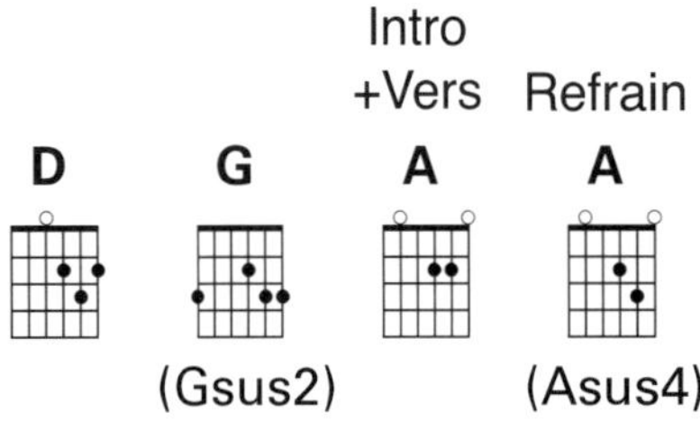

Intro:
D G GD A D G GD A
___ _____ | __ __ _____ | ___ _____ | __ __ ___ |
D G GD A D G GD A
___ _____ | __ __ _____ | ___ _____ | __ __ __

1.
D G G D A
__ She's a | good girl, | loves her mama, __
D G G D A
__loves | Je- sus and A- | merica, too. |
D G G D A
__ She's a | good girl, | cra- zy 'bout Elvis, __
D G G D A
__ loves | horses and her | boy- friend, too. |
D G G D A
___ _____ | __ __ ___

2.
D G G D A
__ It's a | long day | livin' in Reseda. __
D G G D A
__There's a | free- way | runnin' through the yard. __
D G G D A
__ And I'm a | bad boy, 'cause I | don't even miss her. __
D G G D A
__ I'm a | bad boy for | breakin' her heart. __

Refrain:
D G GD A D G GD A
__ And I'm | free, _____ | __ __ ___ free | fallin'. _____ | __ __ ___
D G GD A D G GD A
__Yeah, I'm | free, _____ | __ __ ___ free | fallin'. _____ | __ __ ___

2.
D G G D A
__ All the | vam- pires | walkin' through the valley __
D G GD A
__ move | west down Ven- | tura Boulevard. __
D G G D A
__ And all the | bad boys are | standing in the shadows. __
D G G D A
__ And the | good girls are | breakin' her heart. __

Refrain:

3.
D G GD A
__ I wanna | glide down | over Mulholland. __
D G G D A
__ I wanna | write her | name in the sky. __
D G G D A
__ I'm gonna | free fall | out into nothin'. __
D G G D A
__ Gonna | leave this | world for a while. __

Refrain:

Outro:

(Den 3. Vers und den letzten Refrain habe ich im Solo-Arrangement weggelassen: hier kursiv gedruckt.)

Free Fallin'

Noten

Words & Music by Jeffrey Lynne & Thomas Petty

arr.: Michael Langer

1.
2.
Refrain
F
F = String Clicking mit der Faust
D.S. al Coda
Outro

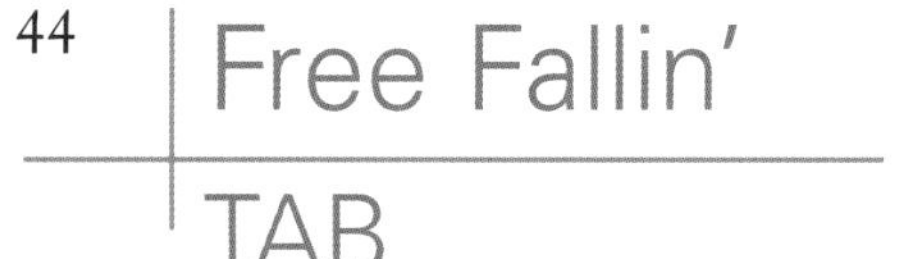

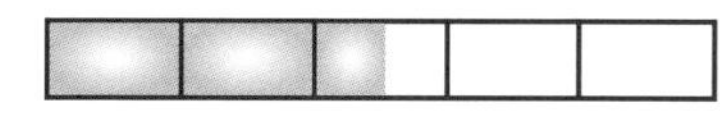

Words & Music by Jeffrey Lynne & Thomas Petty

arr.: Michael Langer

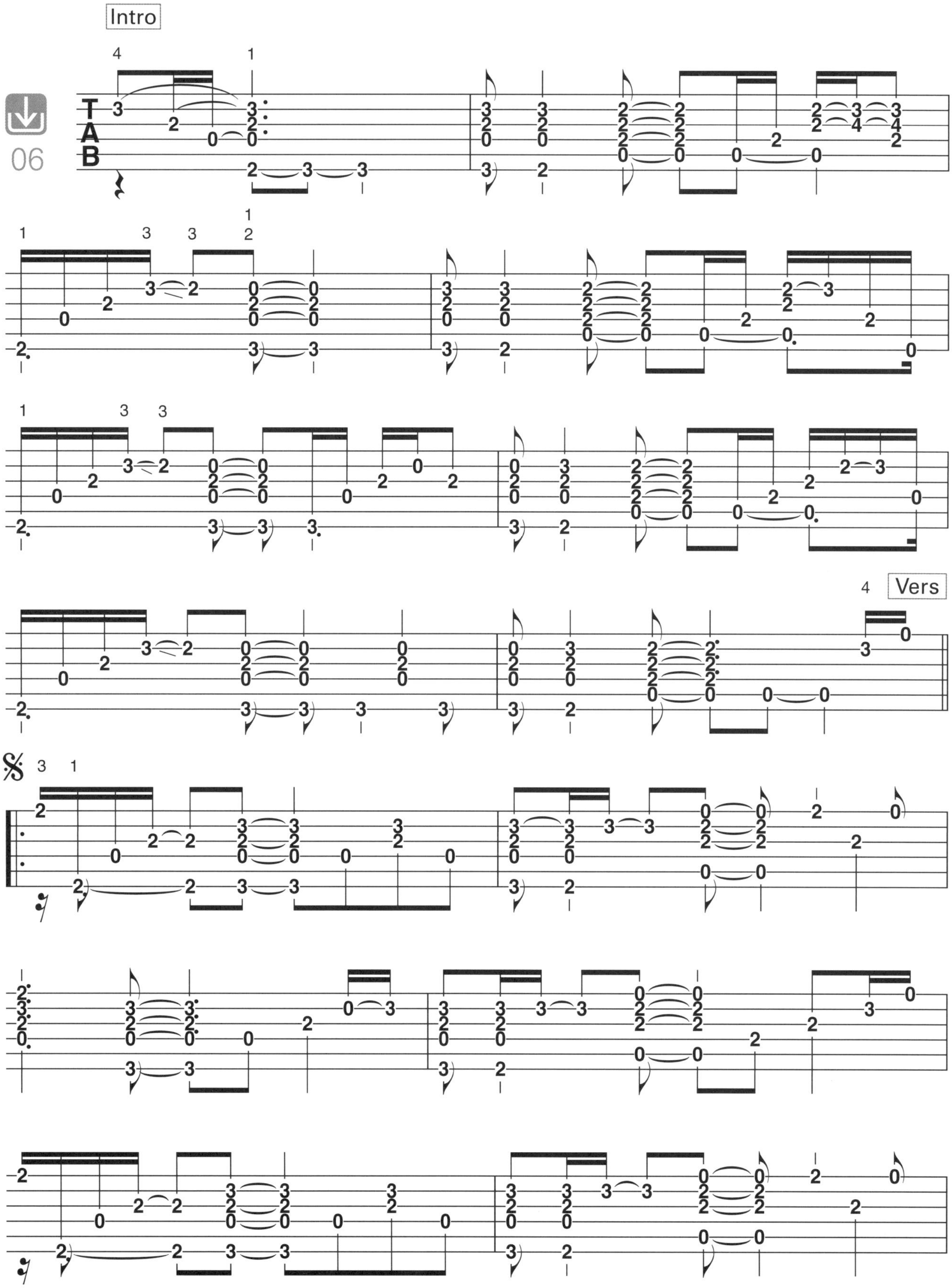

Intro

06

Vers

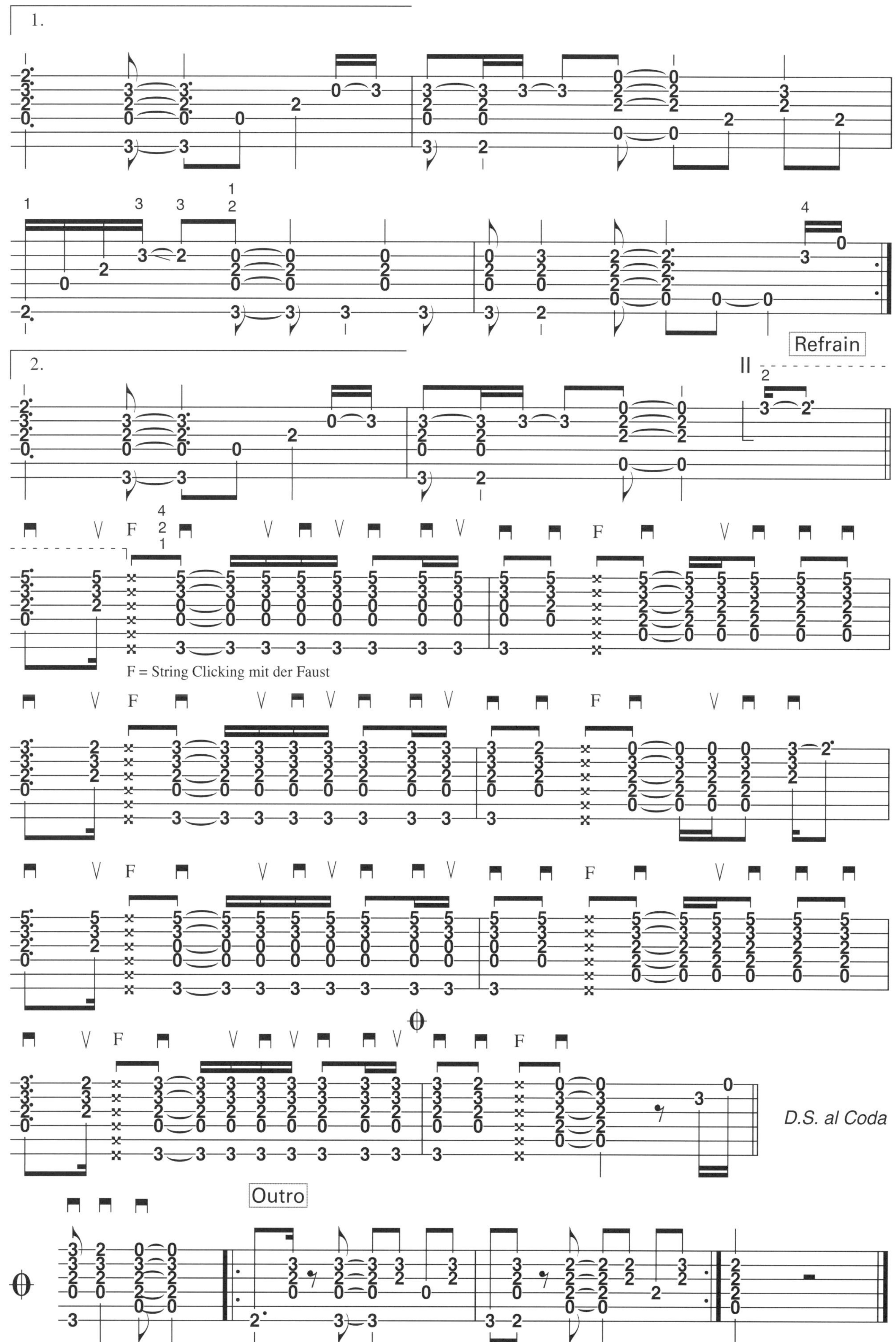
1.
Refrain
2.
F
F = String Clicking mit der Faust
D.S. al Coda
Outro

Happier

Basics

Original

„Happier" ist eine typische Ed-Sheeran-Ballade mit berührendem Text. Und „Happier" ist ein Three-Chord-Song, eines dieser Unikate, nach denen Gitarrenanfänger und deren Lehrer ständig Ausschau halten. Für die Picking-Begleitung gibt es in der Originaltonart eine Möglichkeit, ganz einfach zu bleiben und doch den Ed-Sheeran-Sound sehr nahe zu treffen. Wir können dreistimmig bleiben und haben für alle Akkorde eine ostinate Oberstimme.

Wieder war das Akustik-Gitarren-Intro die Vorgabe für das Solo-Arrangement, auch hier habe ich versucht, möglichst einfach zu bleiben.

Basic Strumming

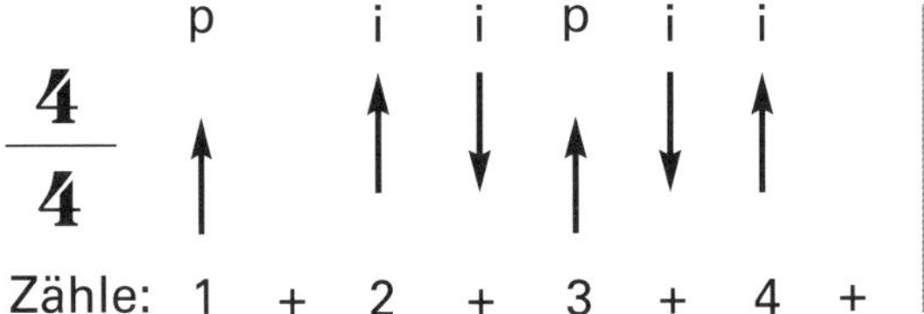

Akkorde Strumming

Basic Picking

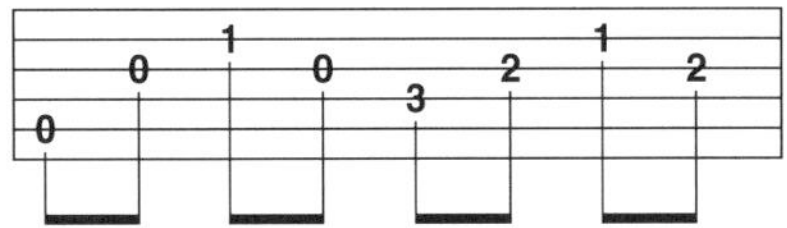

Akkorde Picking

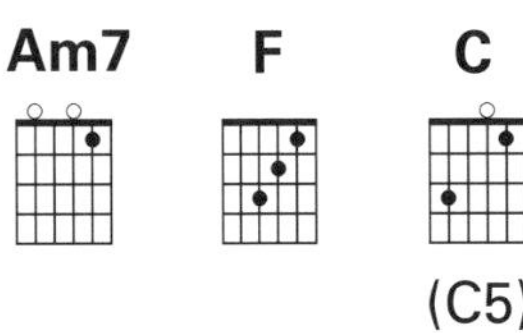

Intro:
```
         Am7 F       C          Am7 F       C
Intro:   ____ ____ | _______ | ____ ____ | _______ |
```

```
         Am7              F                  C
1.       __ Walking down Twentyninth and | Park, ___ |
         Am7          F                C
         __ I saw you in another's | arms. ___ |
         Am7      F                           C
         __ Only a month we've been a- | part. ___
                     Am7     F     C
         __ You look | happier. ___ | _______ |
```

2.
```
         Am7          F                  C
2.       __ Saw you walk inside a | bar, ___ |
         Am7              F                  C
         __ he said something to make you | laugh. ___ |
         Am7            F                             C
         __ I saw that both your smiles were | twice as wide as ours. ___
                     Am7     F         C
         __ You look | happier, ___ you  | do. ___ |
```

```
         Am7            F                   C
Refrain: Ain't nobody hurt you like I | hurt you, __
                Am7             F                C
         __ but | ain't nobody love you like I | do. __ |
         Am7             F                   C
         Promise that I will not take it | personal, baby, |
         Am7                  F                    C
         __ if you're moving on with someone | new. __
                                     Am7     F         C
         __ 'Cause baby you look | happier, ___ you  | do. ___
                                       Am7    F       C
         __ My friends told me one | day, I'll feel it | too. __
                               Am7     F        C
         __ And until then I'll | smile to hide the | truth,
                               Am7    F         C
         __ that I know I was | happier __ with | you. ___ |
```

```
         Am7          F                  C
3.       __ Sat in the corner of the | room. ___ |
         Am7                 F                 C
         __ Everything's reminding me of | you. ___ |
         Am7            F      C
         __ Nursing an empty | bottle and telling myself __
                    Am7     F           C
         __ you're | happier, ___ aren't | you? ___ |
```

Refrain:

(Hier endet das Solo-Arrangement. Der 2. Vers wurde im Arrangement ausgelassen.)

```
                          Am7     F          C
Outro:   Baby, you look | happier, ___ you  | do. ___
                                      Am7  F            C
         __ I knew one day you'd | fall for someone | new. __
                                      Am7      F       C
         __ But if he breaks your | heart like lovers | do, __
                                    Am7          F       C
         __ just know that I'll be | waiting here __ for | you. __ |
```

Happier

Noten

Words & Music by Edward Sheeran, Benjamin Levin & Ryan Tedder

arr.: Michael Langer

III
1.
2.

Happier
TAB

Words & Music by Edward Sheeran, Benjamin Levin & Ryan Tedder

arr.: Michael Langer

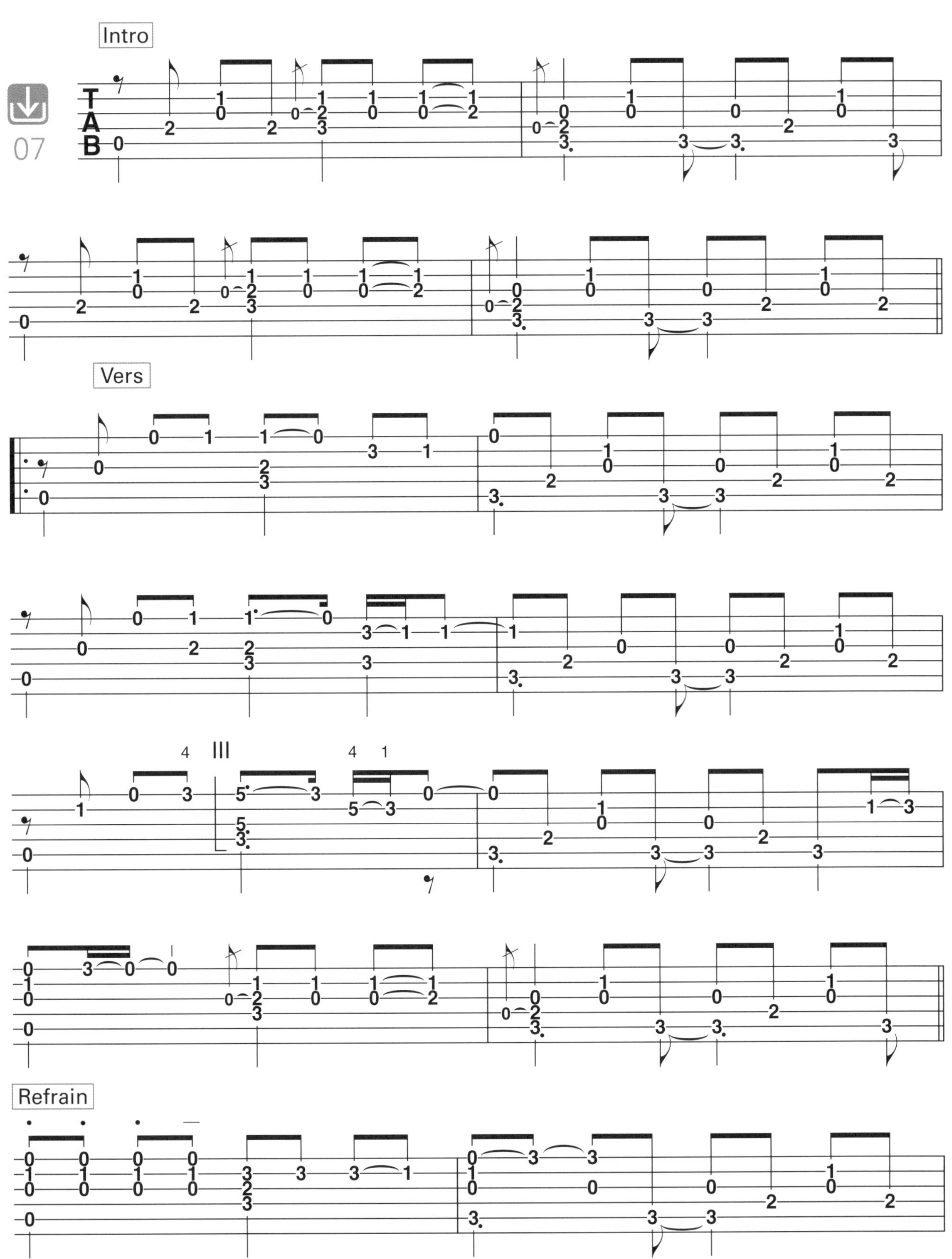

III
1.
2.

Human Nature

Basics

Original

Die Musik von „Human Nature“ wurde 1983 von Steve Porcaro, dem Keyboarder der Band Toto, komponiert und von Michael Jackson auf seinem Album „Thriller“ gesungen. Mein Solo-Arrangement lehnt sich aber an John Mayers 2009-Live-Version von der TV-Begräbnisfeier für Michael Jackson an.
John spielt den Song hier nur instrumental auf der E-Gitarre mit einer All-Star-Band, mit großartigem Timing und interessanten Variationen in Harmonik und Melodie. So ist wichtig zu wissen, dass die originale Harmonielinie der Verszeilen nur mit zwei Akkorden gespielt wird (G-A-G-A), währenddessen John Mayer G-A-F#m-G daraus macht.

Zur leichteren Spielbarkeit habe ich sehr genaue Fingersätze hinzugefügt. Die x-Note (immer auf Tonhöhe E notiert) beschreibt einen perkussiven Daumenklick auf die tiefe 6., eventuell auch 5. Saite.

Basic Strumming

Akkordwechsel auf 2+

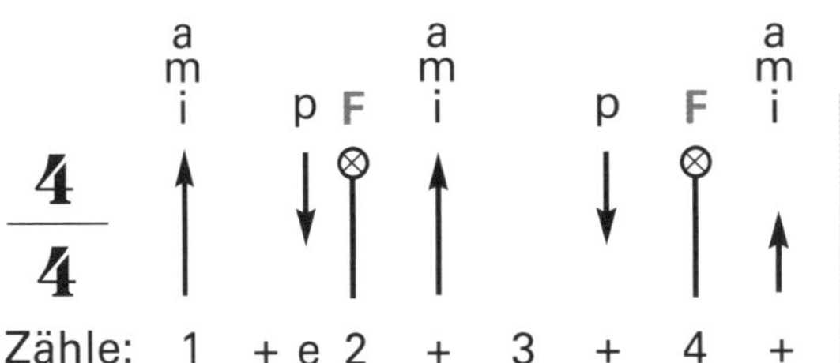

Akkorde Strumming

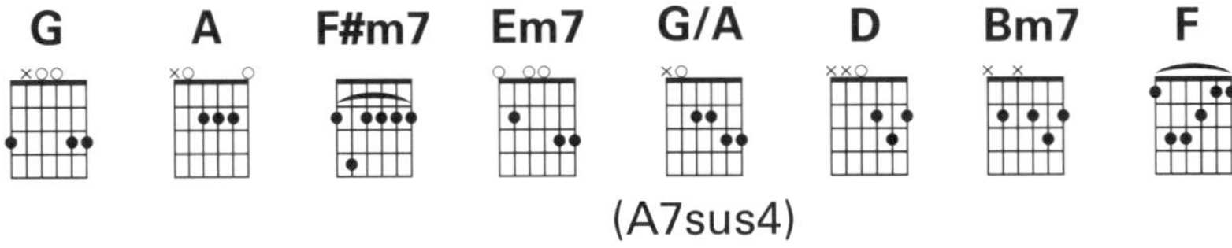

Basic Picking

Akkordwechsel auf 2+

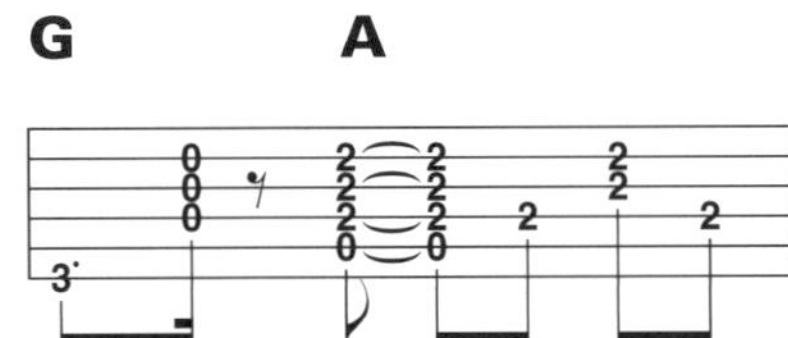

Akkorde Picking

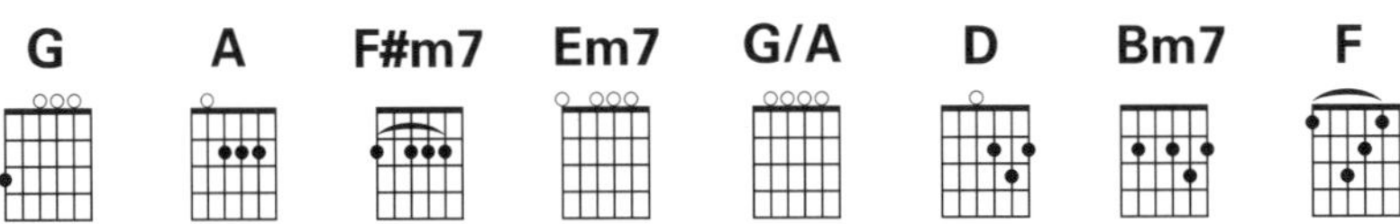

```
        G         A    F#m7        G
1.      Looking out | __ 'cross the nighttime, |
        G          A                    F#m7  G
        __ the city winks a sleepless | eye.     ____ |
        G        A      F#m7        G
        Hear her voice | __ shake my window, |
        G               F#m7   Em7  G/A
        __ sweet seducing | sighs. ____ |
```

```
        G        A    F#m7       G
2.      Get me out | __ into the nighttime, |
        G                     A              F#m7  G
        __ four walls won't hold me to- | night.   ____ |
        G      A       F#m7       G
        If this town | __ is just an apple, |
        G                 F#m7   Em7  G/A
        __ then let me take a | bite.   __ If they say |
```

```
           G     A      D                 Bm7
Refrain:   why, why, | tell 'em that it's human nature, |
           G     A               Bm7
           why, why, does he | do me that way? __ If they say |
           G     A      D                 Bm7
           why, why, | tell 'em that it's human nature, |
           G     A               Em7
           why, why, does he | do me that way? Does he |
           Em7                                       G/A
           do me that way? Does he | do me that way? |
```

3.

```
        G          A    F#m7         G            G          A                  F#m7  G
        Reaching out | __ to touch a stranger, | __ electric eyes are ev'ry- | where. ____ |
        G          A     F#m7             G          G               F#m7  Em7  G/A
        See that girl, | __ she knows I'm watching, | __ she likes the way I | stare. ____ |
```

Refrain:

```
             G     A      F     Em7   G     A      F     Em7
Interlude:   _____ _____ | _____ _____ | _____ _____ | _____ _____ |
```

```
        G         A    F#m7        G
4.      Looking out | __ across the morning, |
        G          A                   F#m7  G
        __ the city's heart begins to | beat.    ____ |
        G          A    F#m7         G
        Reaching out, | __ I touch her shoulder, |
        G                  F#m7   Em7  G/A
        __ I'm dreaming of the | street. ____ |
```

Refrain:

(Im Solo-Arrangement wird die 3. Strophe und der darauffolgende Refrain ausgelassen.)

Human Nature

Noten

Words & Music by John Bettis & Steve Porcaro
arr.: Michael Langer

Interlude
a m i a m i a m i a m i m i
a m i a m i
a m i a m i
a m i a
a m
D.C. al Coda

Human Nature

TAB

Words & Music by John Bettis & Steve Porcaro

arr.: Michael Langer

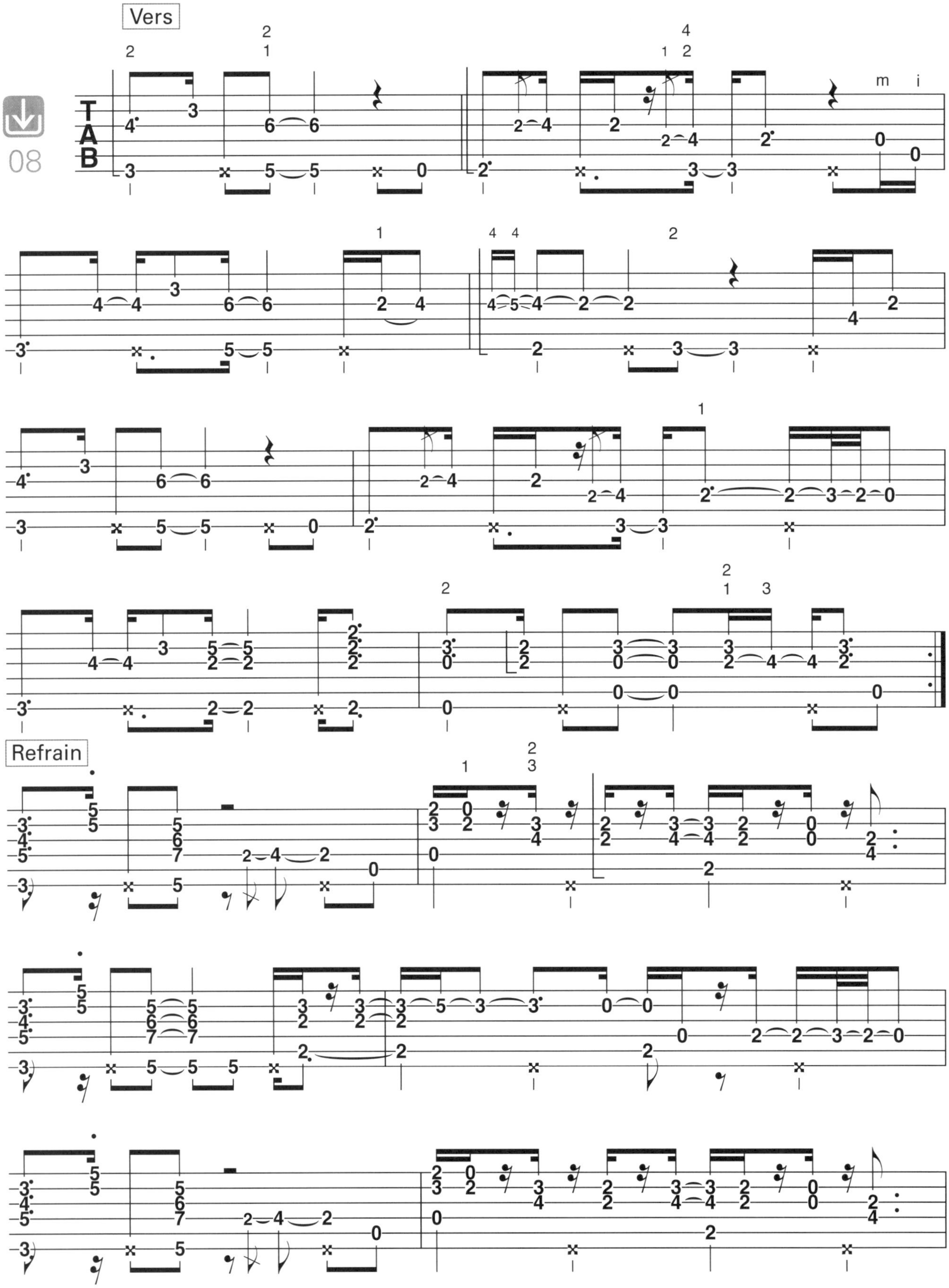

08

Vers

Refrain

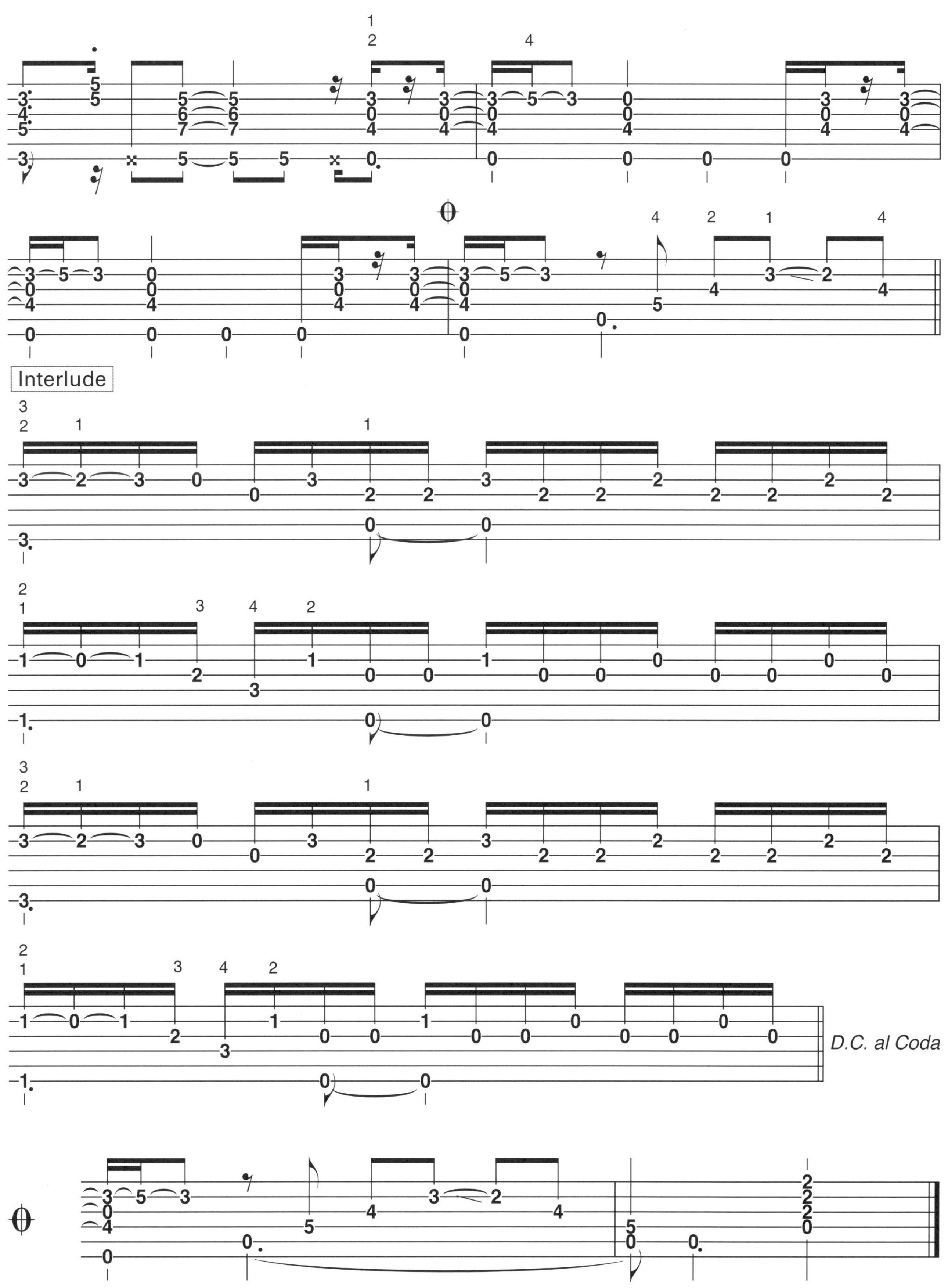
Interlude
D.C. al Coda

Love Someone

Basics

Original

„Love Someone" ist ein Hit der dänischen Pop- und Soulband Lukas Graham, erschienen 2018.
Der Sänger wird anfangs nur von einer E-Gitarre allein begleitet, mit einem ganz ruhigen, aber doch mit Sechzehntel-Feeling gespielten Groove. Im Basic Picking, das dieser Begleitung nachempfunden ist, kann man gut den 3-3-2-Rhythmus in der ersten Takthälfte nachspüren.

Im Solo-Arrangement wandert dieser Rhythmus in den Bass bzw. wird als Zerlegung gespielt. In der Oberstimme steht die Melodie, die in diesem Song viel Platz lässt, aber doch rhythmisch sehr genau gespielt werden soll. Ich habe versucht, bei all dem immer in einem Akkord-Shape zu bleiben, um das Arrangement nicht schwer werden zu lassen.

Basic Strumming

Akkordwechsel auf 2+

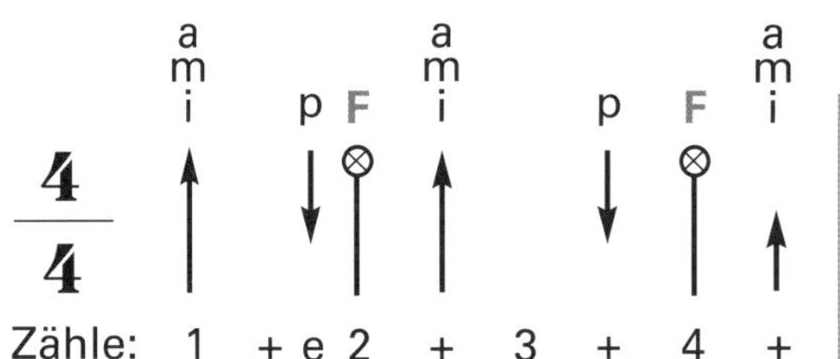

Akkorde Strumming

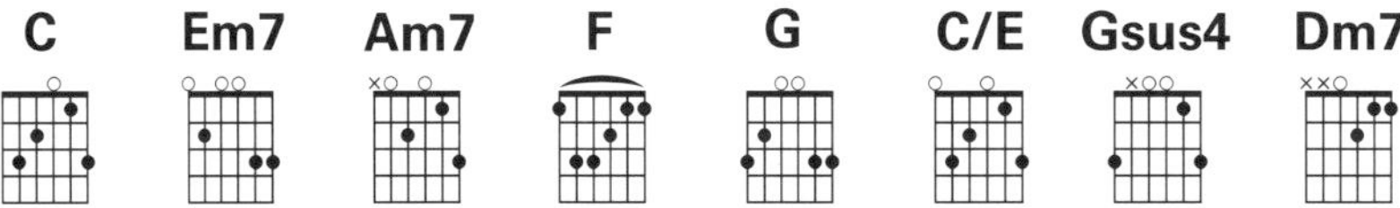

Basic Picking

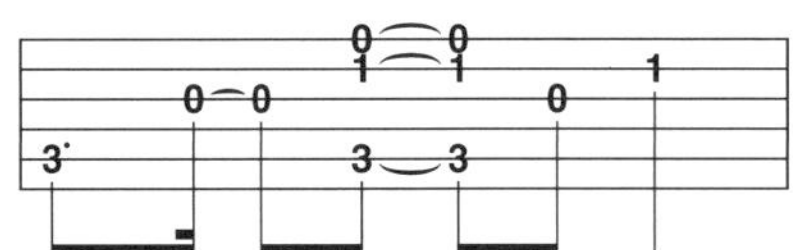

Akkorde Picking

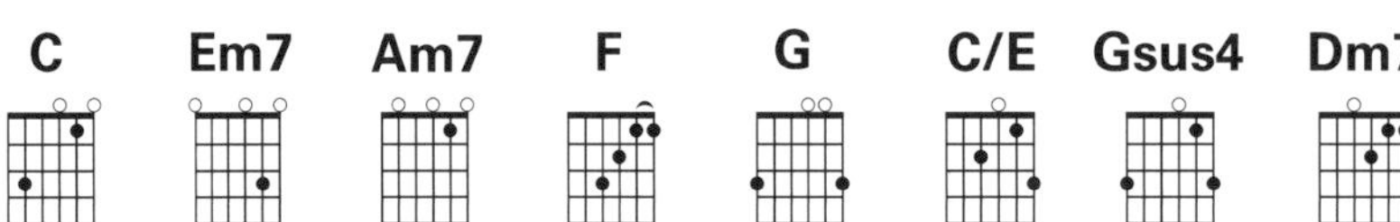

Text + Akkorde

```
           C                  Em7                 Am7
1.         __There are days | __ I wake up and I | pinch myself, __
                                    F
           __ you're with me, not | someone else, |
           C                                   Em7             Am7    F
           __ and I am scared, yeah, I'm still | scared that it's | all  a  | dream. |
           F                        G       Am7          F
           __ 'Cause you still look | perfect as days go | by, __
                        G            Am7            F
           __ even the | worst ones, you make me | smile, __
                           G       Am7         C/E   F     Gsus4
           __ I'd stop the | world if it gave us | time. _____ | _______

                                 F         G          C        Am7
Refrain:   __ 'Cause when you | love someone, you | open up your heart, __
                          F         G                Am7
           __ when you | love someone, you make | room. __
                      F         G                 C         Am7
           __ If you | love someone, and you're | not afraid to lose 'em, __
                                     F         G           Am7
           __ you'll probably never | love someone like I | do, __
                                     F         G           Am7 F
           __ you'll probably never | love someone like I | do.     ____ |


           C                  Em7                   Am7
2.         __When you say | __ you love the way I | make you feel, __
                              F
           __ ev'rything be- | comes so real, |
           C                                  Em7                     Am7   F
           __ don't be scared, no, don't be | scared 'cause you're | all I  | need. |
           F                      G       Am7         F
           __And you still look | perfect as days go | by, __
                        G            Am7            F
           __ even the | worst ones, you make me | smile, __
                           G       Am7         C/E   F     Gsus4
           __ I'd stop the | world if it gave us | time. _____ | _______

Refrain:

           Dm7            G                    C                                  Am7
Bridge:    __ All my life | __ I thought it'd be | hard to find the one, 'til I found | you. __
                           Dm7          G                Am7                    Dm7
           __And I find it | bittersweet | ___ 'cause you | gave me something to | lose. __


Refrain:
```

Love Someone

Noten

Words & Music by David LaBrel, Morten Pilegaard, Jaramye Daniels, Lukas Forchhammer, Morten Ristorp, Stefan Forrest & James Ghaleb

arr.: Michael Langer

D.C. al Coda
Fine
Bridge
D.S. al Fine

Love Someone

TAB

Words & Music by David LaBrel, Morten Pilegaard, Jaramye Daniels, Lukas Forchhammer, Morten Ristorp, Stefan Forrest & James Ghaleb

arr.: Michael Langer

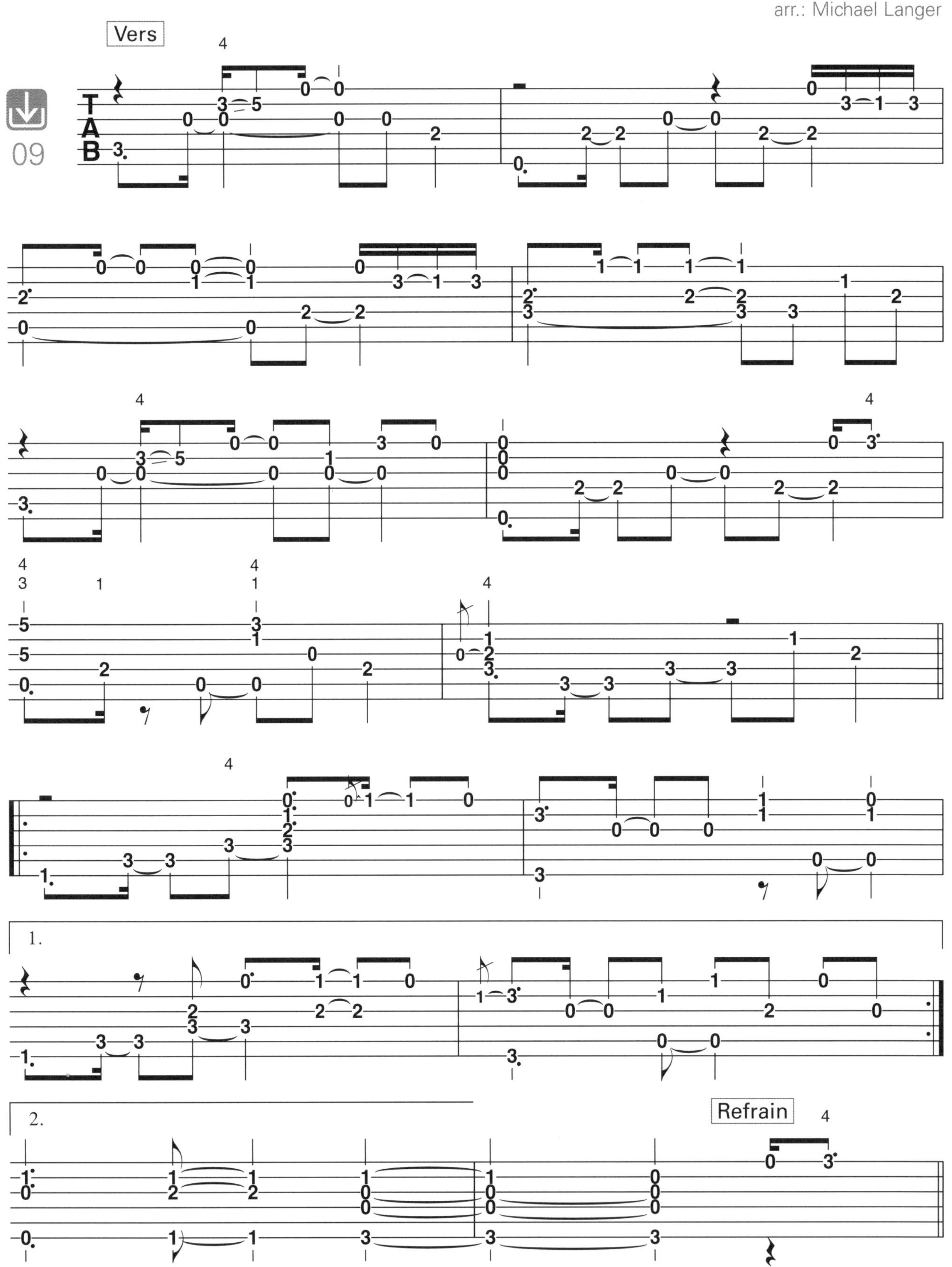

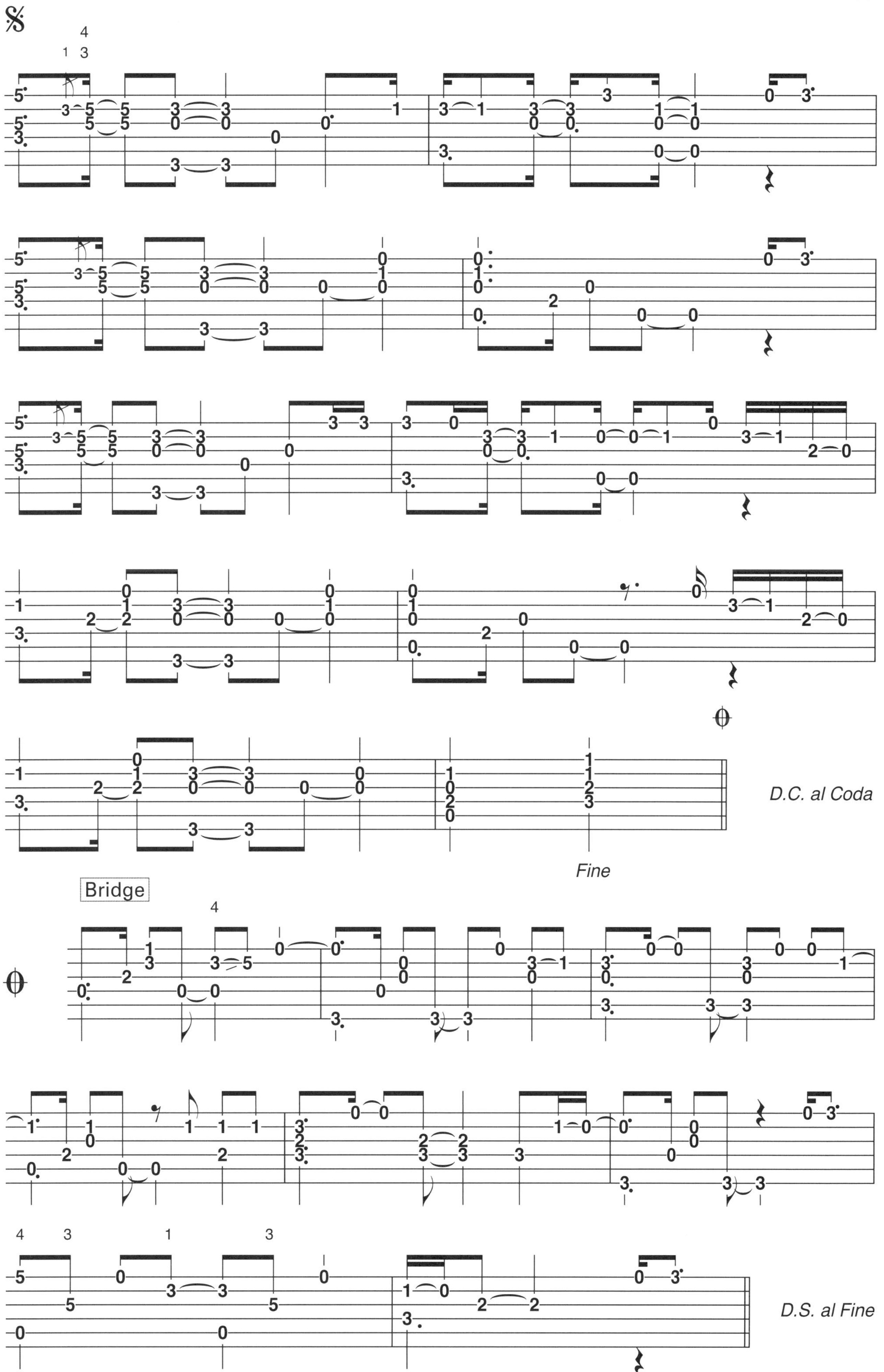
D.C. al Coda
Fine
Bridge
D.S. al Fine

Moon River

Basics

Original

Mit dem Begriff „Great American Songbook“ werden herausragende Songs der amerikanischen Popmusik vor der Rock'n'Roll-Ära beschrieben. „Moon River“, für die Schauspielerin Audrey Hepburn geschrieben, gilt als einer der großen stilbildenden Titel aus diesem Repertoire.
Typisch für die Lieder des Great American Songbooks sind die zahlreichen Cover-Versionen der Songs: Von „Moon River“ haben auch Fingerstyle-Gitarristen wie Tommy Emmanuel, Ed Gerhard und viele Jazzmusiker Instrumentalversionen in ihrem Repertoire.

Mein Solo-Arrangement von „Moon River“ unterscheidet sich ein wenig von den anderen in diesem Buch: Mehrere harmonische Wendungen dieses Arrangements kommen aus dem Jazz, weil das perfekt zu diesem Lied passt.
Die Akkorde und Rhythmen von Picking und Strumming bleiben einfach spielbar im Popbereich und passen daher nicht zum Solo-Arrangement.

Basic Strumming

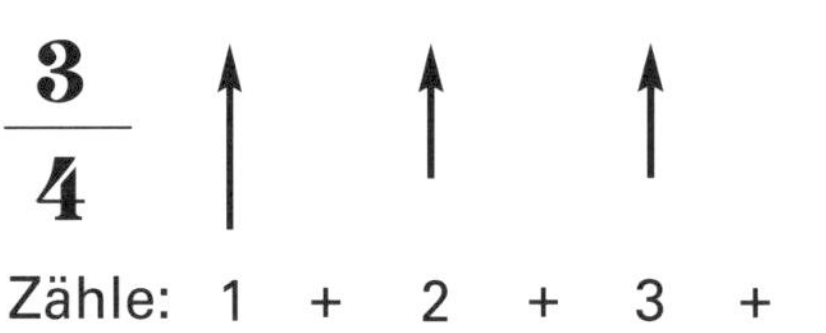

Akkorde Strumming

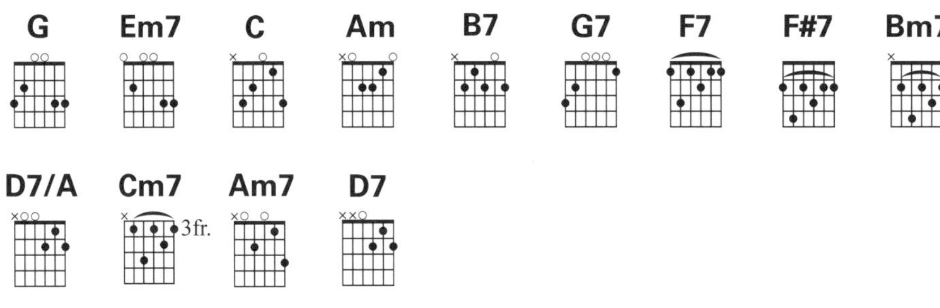

Basic Picking

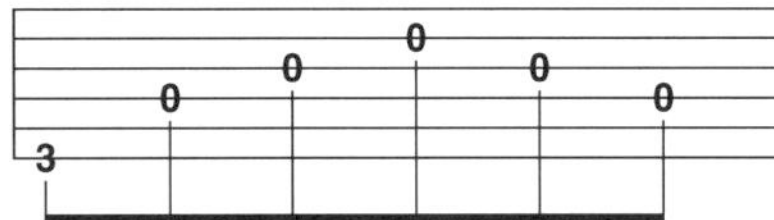

Akkorde Picking

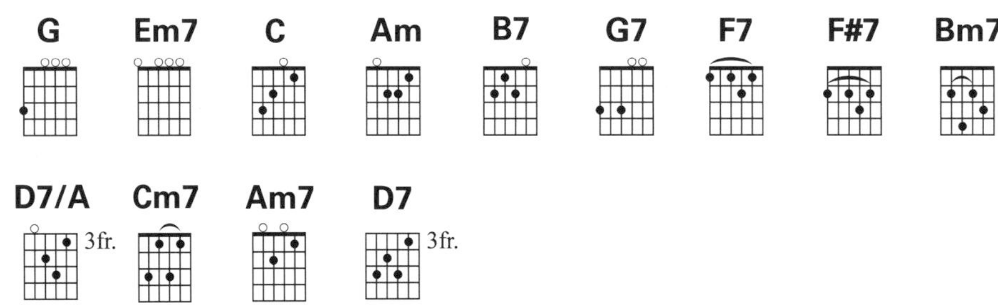

Text + Akkorde

1.

G Em7 C G
Moon | river, | wider than a | mile. __

C G Am B7
__ I'm | crossing you in | style some | day. _____ | ____

Em7 G7 C F7
__ Old | dream- | maker, you | heart- | breaker, __

Em7 F#7 Bm7 D7/A
__ wher- | ever you're | goin', I'm | goin' your | way. _____ |

2.

G Em7 C G
Two | drifters, | off to see the | world. __

C G Am B7
__There's | such a lot of | world to | see. _____ | ____

Em7 G7 C Cm7
__We're | af - | ter __ the | same _____ | rainbow's |

G C G C
end, | __ waitin' 'round the | bend, | __ my huckleberry |

G Em7 Am7 D7 G
friend, | moon | river | __ and | me. __ | _____ |

Moon River

Noten

Words by Johnny Mercer & Music by Henry Mancini
arr.: Michael Langer

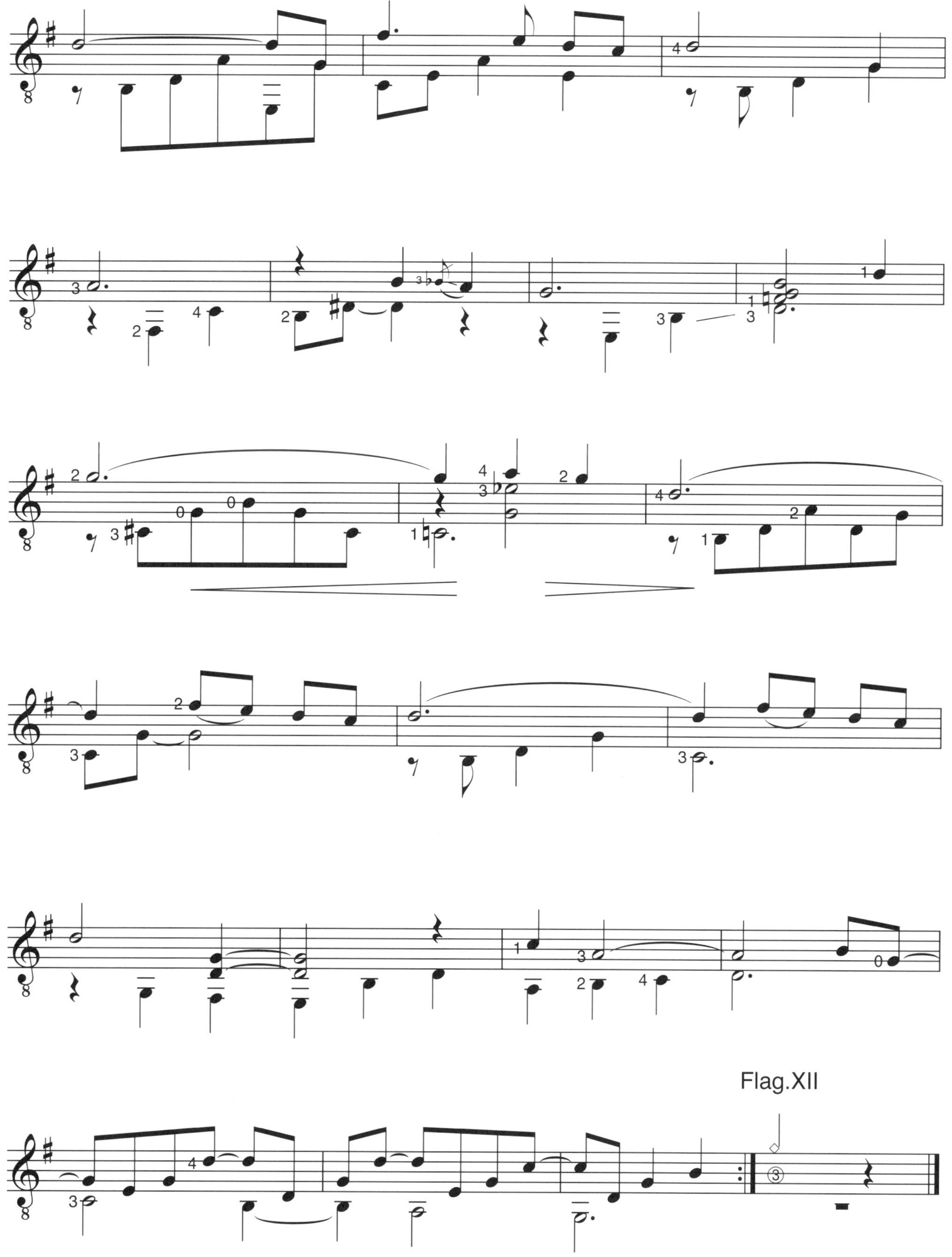
Flag.XII

Moon River

TAB

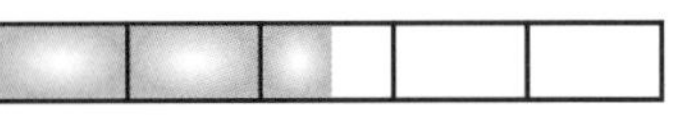

Words by Johnny Mercer & Music by Henry Mancini

arr.: Michael Langer

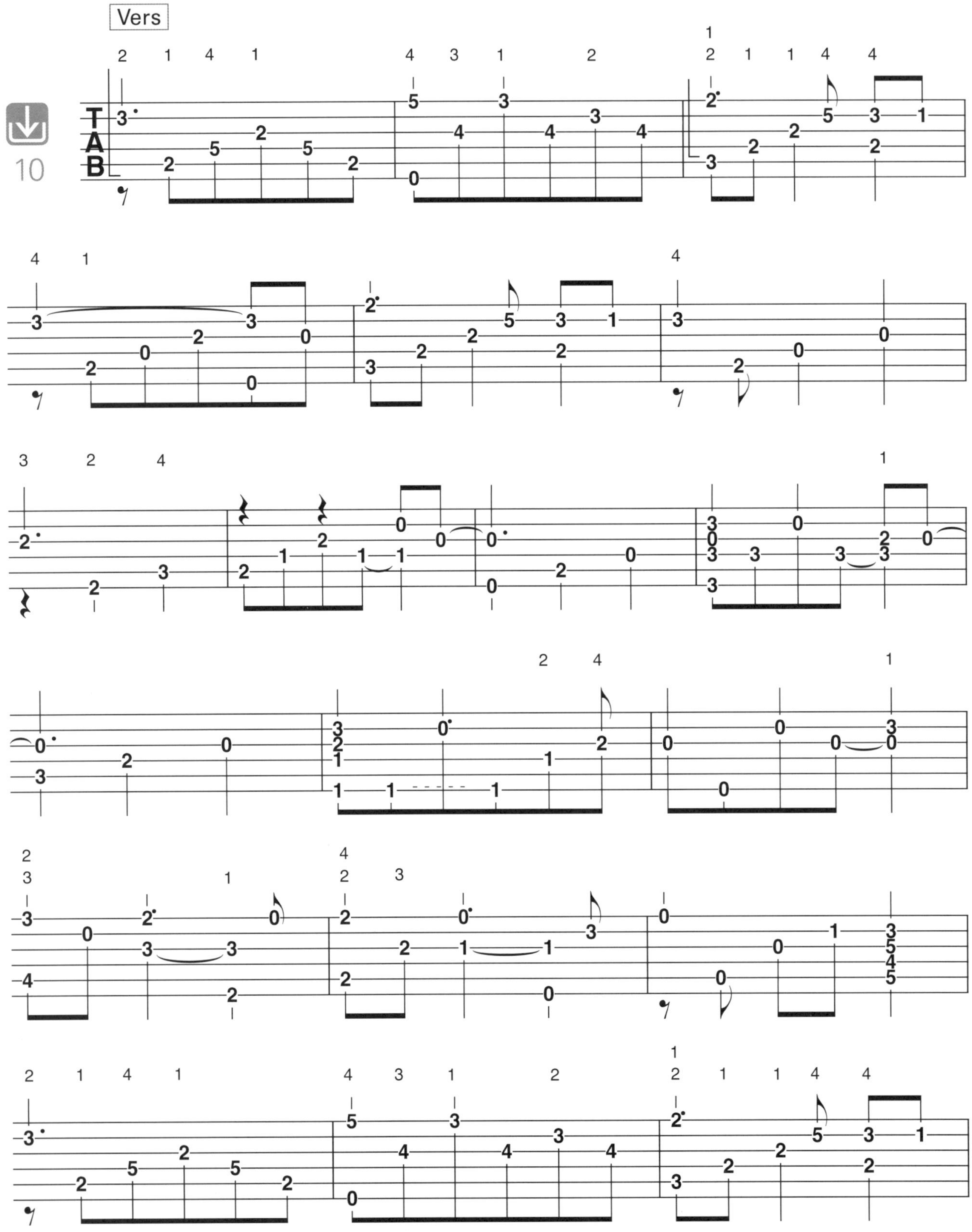

Vers

10

More Than Words

Basics

Original

„More Than Words" ist eine akustische Gitarren-Ballade der amerikanischen Rockband Extreme. Zu Beginn des Videos aus dem Jahr 1990 wird einmal der Bass vom Verstärker ausgesteckt, dann beginnt die akustische Gitarre zu spielen. Es war die Zeit der MTV-Unplugged-Shows, als auch wilde Rockbands sanfte akustischen Balladen aufnahmen.

Unter Akustikgitarristen ist „More Than Words" auch berühmt für das Intro mit dem String-Clicking.
Dieses Intro habe ich genau transkribiert, dann aber auch den ganzen Song so arrangiert, dass ein Daumenklick durchlaufen kann: Die x-Note (immer auf Tonhöhe E notiert) beschreibt einen perkussiven Daumenklick auf der tiefen 6., eventuell auch 5. Saite.

Basic Strumming

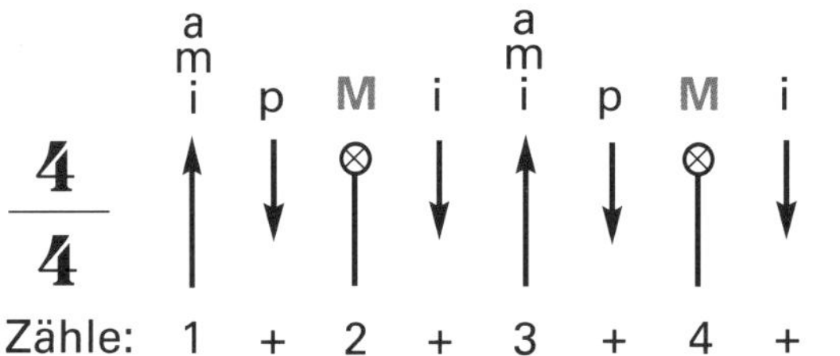

Akkorde Strumming

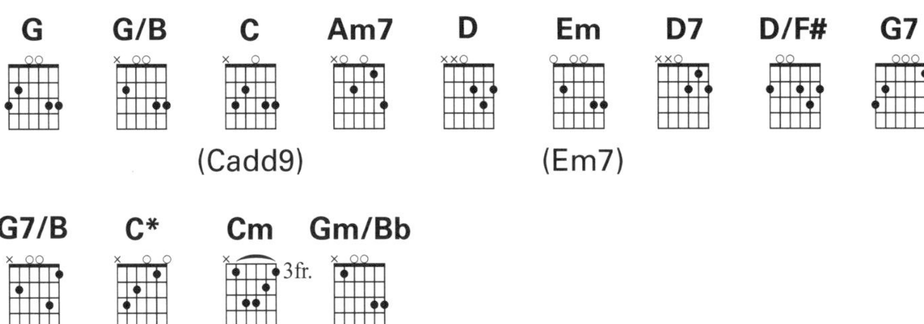

Basic Picking

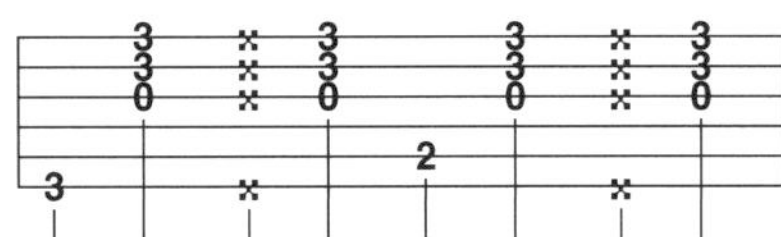

Akkorde Picking

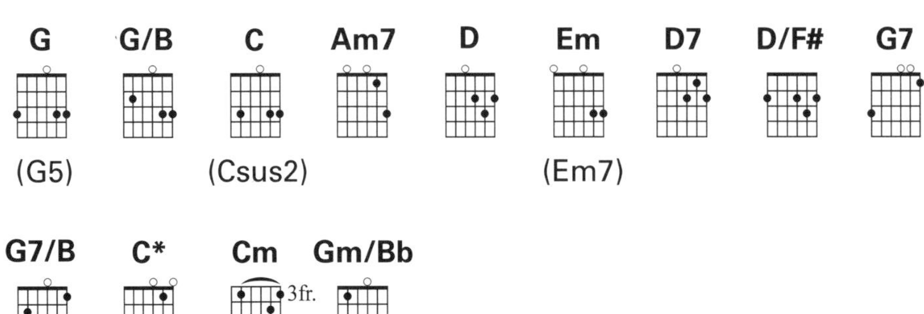

```
        G     G/B    C          Am7      C      D
Intro:  ____  ____ | _______ | _______ | ____  ____ |
        G     G/B    C          Am7      C      D
        ____  ____ | _______ | _______ | ____  ____ |
```

```
1.  G    G/B            C              Am7               C        D
    ____ __ Saying I | love you is | not the words I | want to hear from |
    G   G/B              C           Am7              C       D
    you. It's not that I | want you | not to say, but | if you only |
    Em   G/B       Am7  D7                G            D/F#
    knew __ how | easy  | it would be to | show me how you |
    Em  G/B            Am7      D7                    G7   G7/B
    feel. More than | words is | all you have to | do to make it |
    C*                 Cm                  G                Em      G/B
    real. Then you | wouldn't have to | say that you | love me ___ 'cause |
    Am7   D7      G       G/B     G       G/B
    I'd al- | ready | know. What | would you |
    D/F#      Em           G/B      C
    do if my | heart was torn in | two? More than | words to show you |
    Am7              D7              G    G/B    G      G/B
    feel that your | love for me is | real. What | would you |
    D/F#    Em          G/B        C
    say if I | took those words a- | way? Then you | couldn't make things |
    Am7            D7                G   G/B   C
    new just by | saying „I love | you". ____ | La di da, da di |
    Am7             C       D          G        G/B  C                Am7      D7
    da, di dai dai | da. __ More than | words. ___ | La di da, da di | da. ____ | _______ |
```

```
2.  G    G/B                   C         Am7                C          D
    ____ __ Now that I've | tried to | talk to you and | make you under- |
    G     G/B      C                Am7                  C         D
    stand, all you | have to do is | close your eyes and | just reach out your |
    Em   G/B       Am7          D7                          G    D/F#
    hands __ and | touch me.  | Hold me close, don't | ever let me |
    Em G/B          Am7       D7          G7       G7/B
    go. More than | words is | all I ever | needed you to |
    C*                   Cm                  G                Em      G/B
    show. Then you | wouldn't have to | say that you | love me ___ 'cause |
    Am7   D7      G       G/B     G       G/B
    I'd al- | ready | know. What | would you |
    D/F#      Em           G/B      C
    do if my | heart was torn in | two? More than | words to show you |
    Am7              D7              G    G/B    G      G/B
    feel that your | love for me is | real. What | would you |
    D/F#    Em          G/B        C
    say if I | took those words a- | way? Then you | couldn't make things |
    Am7            D7                G   G/B   C
    new just by | saying „I love | you". ____ | La di da, da di |
    Am7             C       D          G
    da, di dai dai | da. __ More than | words. ___
```

(Hier endet das Solo-Arrangement.)

```
        G/B       Gm/Bb  Am7     G
Outro:  ______ | ______  ______ | _______ |
```

More Than Words

Noten

Words & Music by Gary Cherone & Nuno Bettencourt
arr.: Michael Langer

1.
2.
D.S. al Coda

TAB

Words & Music by Gary Cherone & Nuno Bettencourt

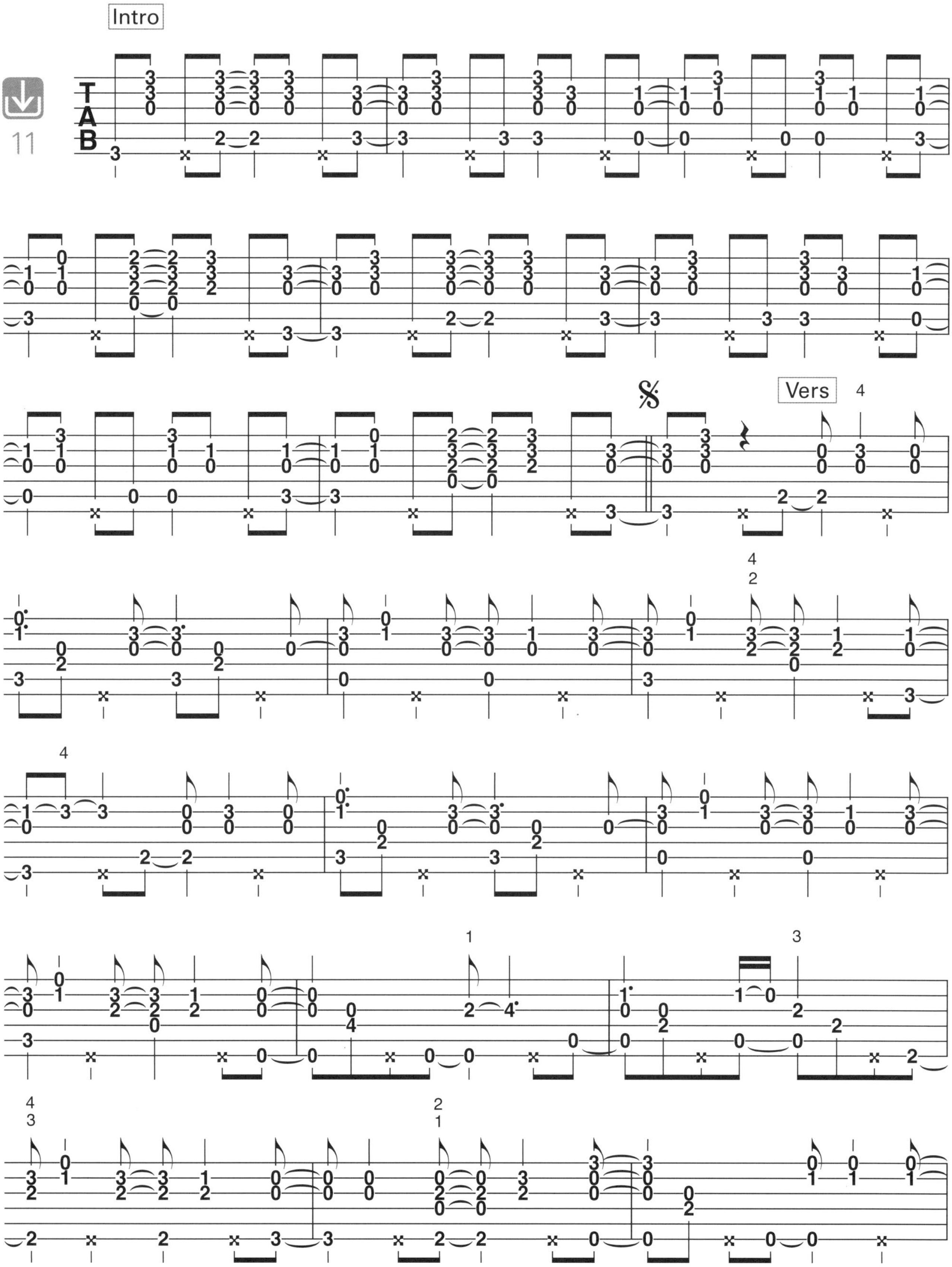

arr.: Michael Langer

Intro

11

Vers

1.
2.
D.S. al Coda

Orphans

Basics

Original

„Orphans“ ist der aktuellste Titel in diesem Buch, er stammt aus Oktober 2019. Die britische Rockband Coldplay hat das Lied geschrieben und aufgenommen.
Das offizielle You Tube-Video dazu zeigt die Entwicklung des Songs von Anfang an. Ausgehend von einem Strumming mit akustischer Gitarre, rückt ein Bass-Lick in den Mittelpunkt des Songs und dann entsteht die volle Bandversion.
Ich habe dieses Lied ausgewählt, weil der Basslick ein wunderbar polyphones Arrangement erlaubt (Melodie in der Oberstimme). Auch ist es möglich, in der Tonart D-Dur (Original: A-Dur) die gesamte Melodie des Refrains mit natürlichen Flageolett-Tönen zu spielen.
Die akustische Gitarren-Begleitung mit ihren offenen Akkorden wird in E-Dur gespielt.
Daraus ergibt sich: Willst du die Begleitung mit dem Original mitspielen, brauchst du den Kapodaster am V. Bund. Willst du die Begleitung zum Arrangement dazuspielen, muss das Arrangement mit Capo am II. Bund gespielt werden.

Basic Strumming

Sechzehntelgroove! Die Taktmitte ist strichliert dargestellt.

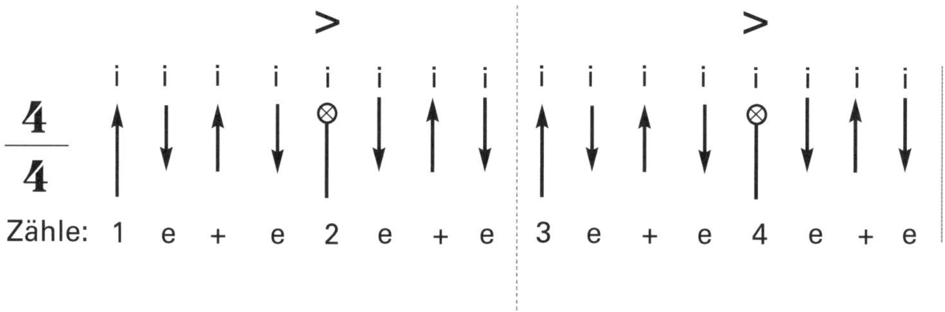

Akkorde Strumming

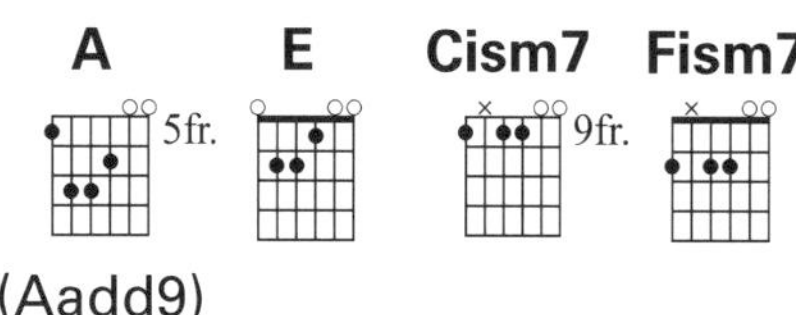

(Aadd9)

Basic Picking

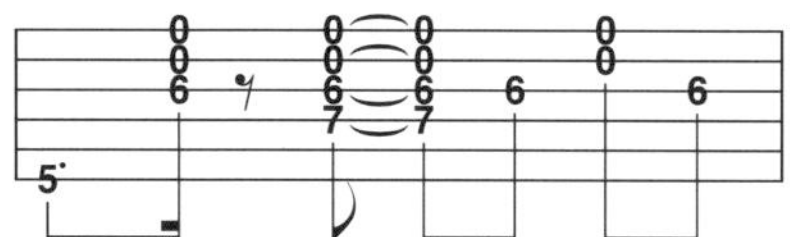

Akkorde Picking

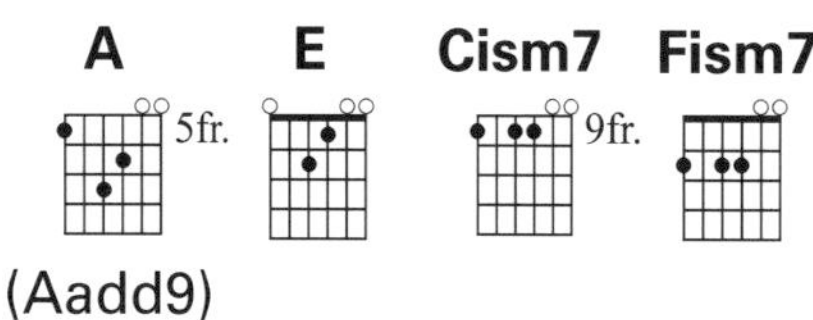

(Aadd9)

A
Intro: I wanna know | when I can go | back and get drunk with my | friends. |
E A Cism7
_______ | _______ | _______ | _______ |

E A Cism7
1. Rosaleem of the | damascene, | yes, she had eyes like the | moon, |
E A Cism7
would have been on the | silver screen | but for the missile mon- | soon. __
E
__ She went, | __ „woo woo, | __ woo woo ooh ooh ooh.“ |
A Cism7
_______ | Indigo go up to heaven today. |
E
__ „Woo woo, | __ woo woo ooh ooh ooh.“ |
Fism7 A
Bombs going boom ba-boom- | boom. She say: |

E A Cism7
Refrain: „I wanna know | when I can go | back and get drunk with my | friends. |
E A Cism7
I want to know | when I can go | back and be young a- | gain.“ |

E A Cism7
2. Baba would go where the | flowers grow, | almond and peach trees in | bloom. __
E
__ And | he would know just when and | what to sow, so |
A Cism7
golden and opportune. | __ He went |
E
__ „woo woo, | __ woo woo ooh ooh ooh.“ |
A Cism7
_______ | Tulips the color of honey today. |
E
__ „It's true true, | __ woo woo ooh ooh.“ |
Fism7 A
Bombs going boom ba-boom- | boom. He say: |

Refrain:

E A
Bridge: __ "Woo woo, | __ woo woo ooh ooh ooh". | _______ |
(Das Solo-Arrangement endet hier.)
Cism7 E Fism7
_______ | __ "Woo woo, | __ woo woo ooh ooh ooh". | Cherubim, Seraphim |
A Fism7 A
soon. Come | sailing us home by the | light of the moon. Oh, |

E A Cism7
Refrain: „I wanna know | when I can go | back and get drunk with my | friends. |
E A Cism7
I want to know | when I can go | back and feel home a- | gain.“ |
E A Cism7
__ Woo woo, | __ woo woo | ooh, I | guess we'll be raised on our |
E Fism7 A
own then. | __ Cos | I want to be with you 'til the | world ends. |
Fism7 A E
I want to be with you 'til the | whole world | ends. | _______ | _______ | _______ |

Orphans

Noten

Words & Music by Christopher Martin, Guy Berryman, Jonathan Buckland, William Champion & Gabriel Moses Martinez
arr.: Michael Langer

12

Refrain
Flag.
VII
Flag.
VII
Flag.
XII
Flag.
VII
Flag.
XII
Flag.
VII
Flag.
XII
IX
D.S. al Coda
Bridge

Orphans

TAB

Words & Music by Christopher Martin, Guy Berryman, Jonathan Buckland, William Champion & Gabriel Moses Martinez

arr.: Michael Langer

12

Intro

⑤ = G
⑥ = D

Vers

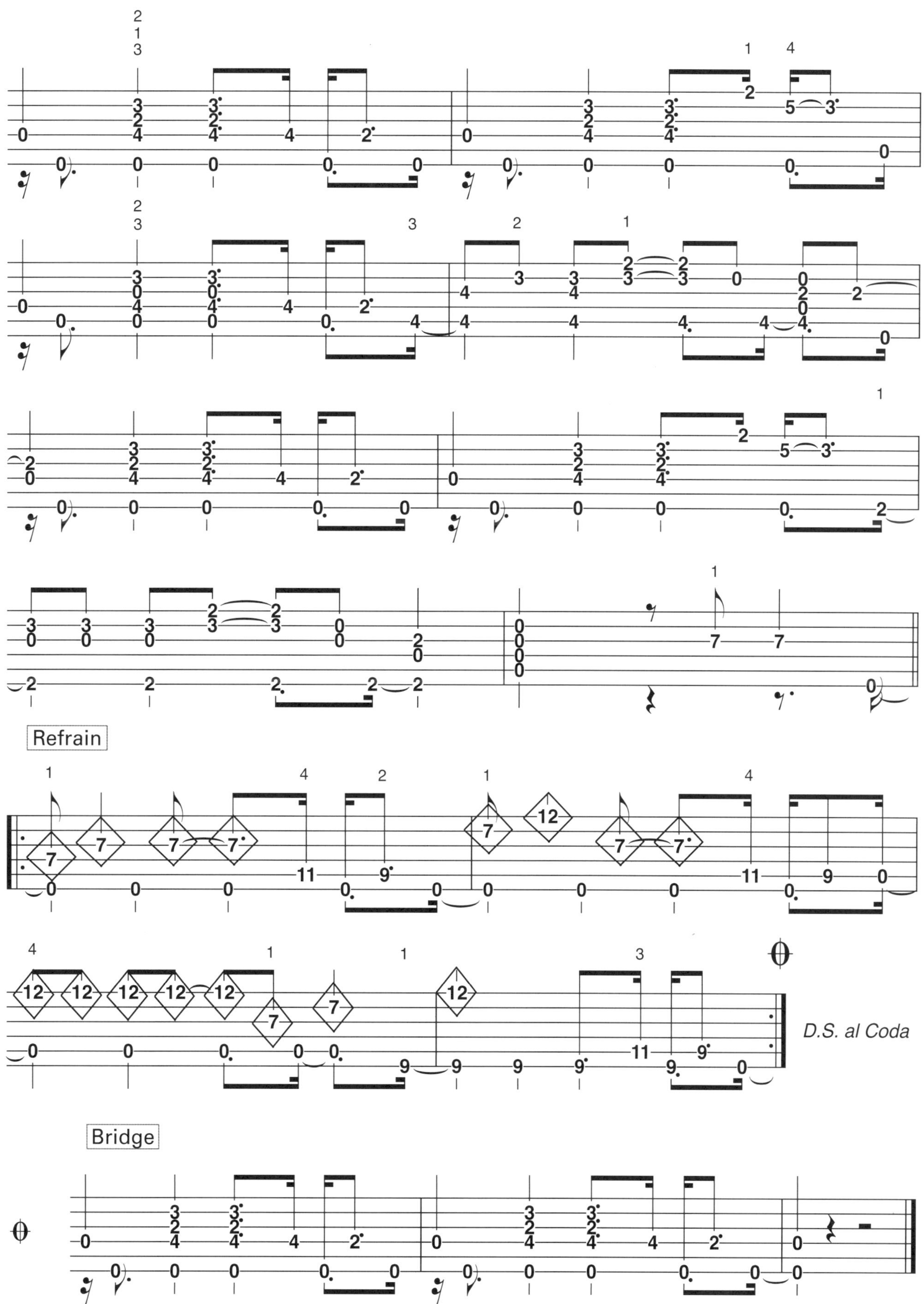

Refrain
D.S. al Coda
Bridge

People Get Ready

Basics

Original

„People Get Ready" des amerikanischen Singer-Songwriters Curtis Mayfield kann am Besten als ein Lied in der Tradition der Black American Freedom Songs beschrieben werden.
Es gibt zahlreiche Cover-Versionen von „People Get Ready": Für mich sind für Gitarre am interessantesten Eva Cassidy's Interpretation als Ballade und die Versionen, die Jeff Beck abgeliefert hat.
Meine Version steht in zwei Tonarten. Sie beginnt in C-Dur und wechselt dann für den 3. Vers nach D-Dur und ist im Stil einer Rhythm&Blues-Ballade arrangiert.

Basic Strumming

Akkordwechsel auf 2+

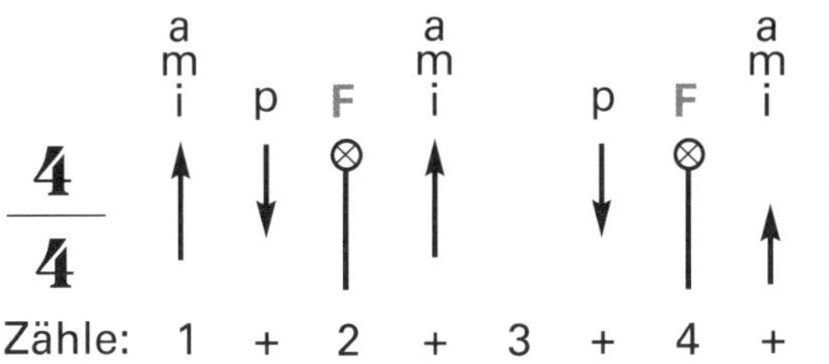

Akkorde Strumming

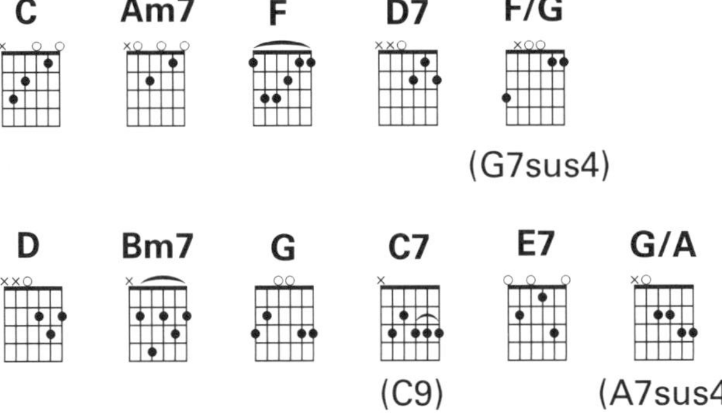

Basic Picking

Akkordwechsel auf 2+

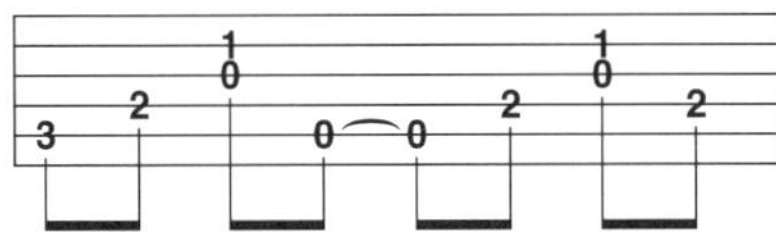

Akkorde Picking

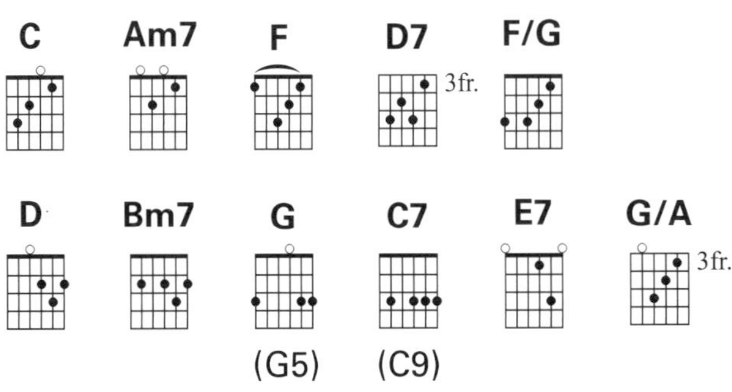

Text + Akkorde

```
              C      Am7      F      C
Intro:        ______ ______ | ______ ______ |
              C      Am7      F      C
              ______ ______ | ______ ______ |

              C           Am7                 F      C
1.            People get ready, there's a | train a-coming. |
              C              Am7                    F       C
              Don't need no baggage, you just | get on board. __
                          C       Am7                  F       C
              __ All you | need is faith to hear the | diesels humming. ______ |
              Am7             D7               F/G        C
              Don't need no ticket, you just | thank the Lord. |

              C      Am7      F      C
Interlude:    ______ ______ | ______ ______ |
              C      Am7      F      C
              ______ ______ | ______ ______ |

              C          Am7             F       C
2.            People get ready for the | train to Jordan. |
              C          Am7                 F        C
              Picking up passengers from | coast to coast. |
              C           Am7             F          C
              Faith is the key, open the | doors and board them. ______ |
              Am7               D7              F/G        C
              There's hope for all among the | loved the most. |

              C      Am7      F      C
Interlude:    ______ ______ | ______ ______ |
              D      Bm7      G      D
              ______ ______ | ______ ______ |

              D              Bm7             G        D
3.            There ain't no room for the | hopeless sinner __
                              D             Bm7           G        D
              __ who would | hurt all mankind just to | save his own. __
                        D      Bm7             G            C7
              __Have | pity on those whose | chances are thinner, ______
                             Bm7        E7               G/A        D
              __ so there's | no hiding place from the | kingdom's throne. |

              D      Bm7      G      D
Outro:        ______ ______ | ______ ______ |
              D      Bm7      G      D
              ______ ______ | ______ ______ |
```

People Get Ready

Noten

Words & Music by Curtis Mayfield

arr.: Michael Langer

1.
2.
II
Vers
III
Outro
II
III

People Get Ready

TAB

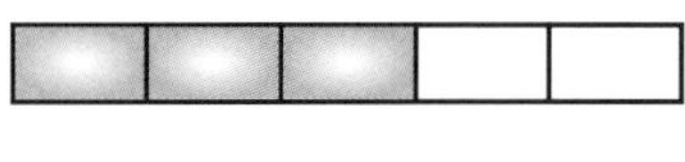

Words & Music by Curtis Mayfield

arr.: Michael Langer

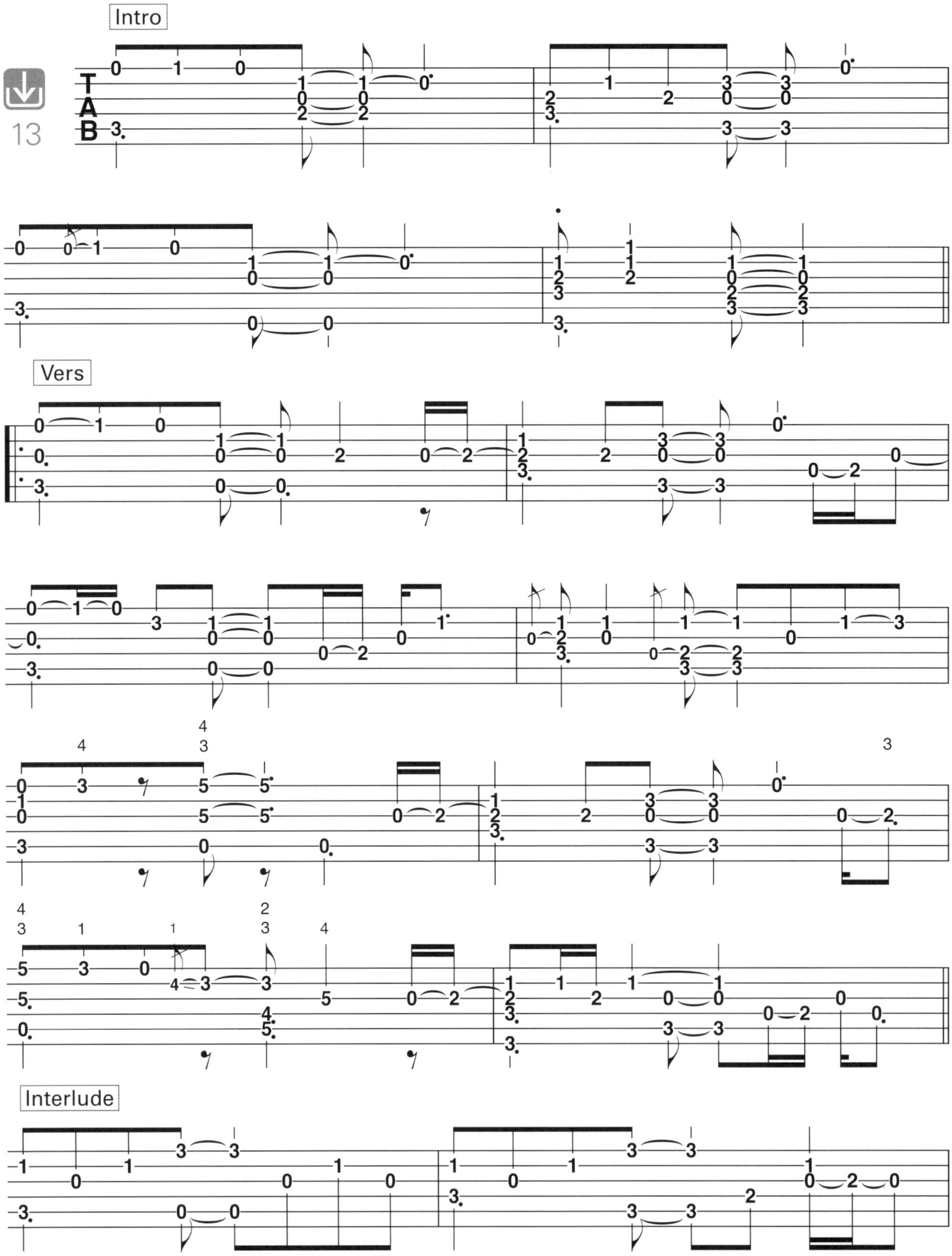

13

Intro

Vers

Interlude

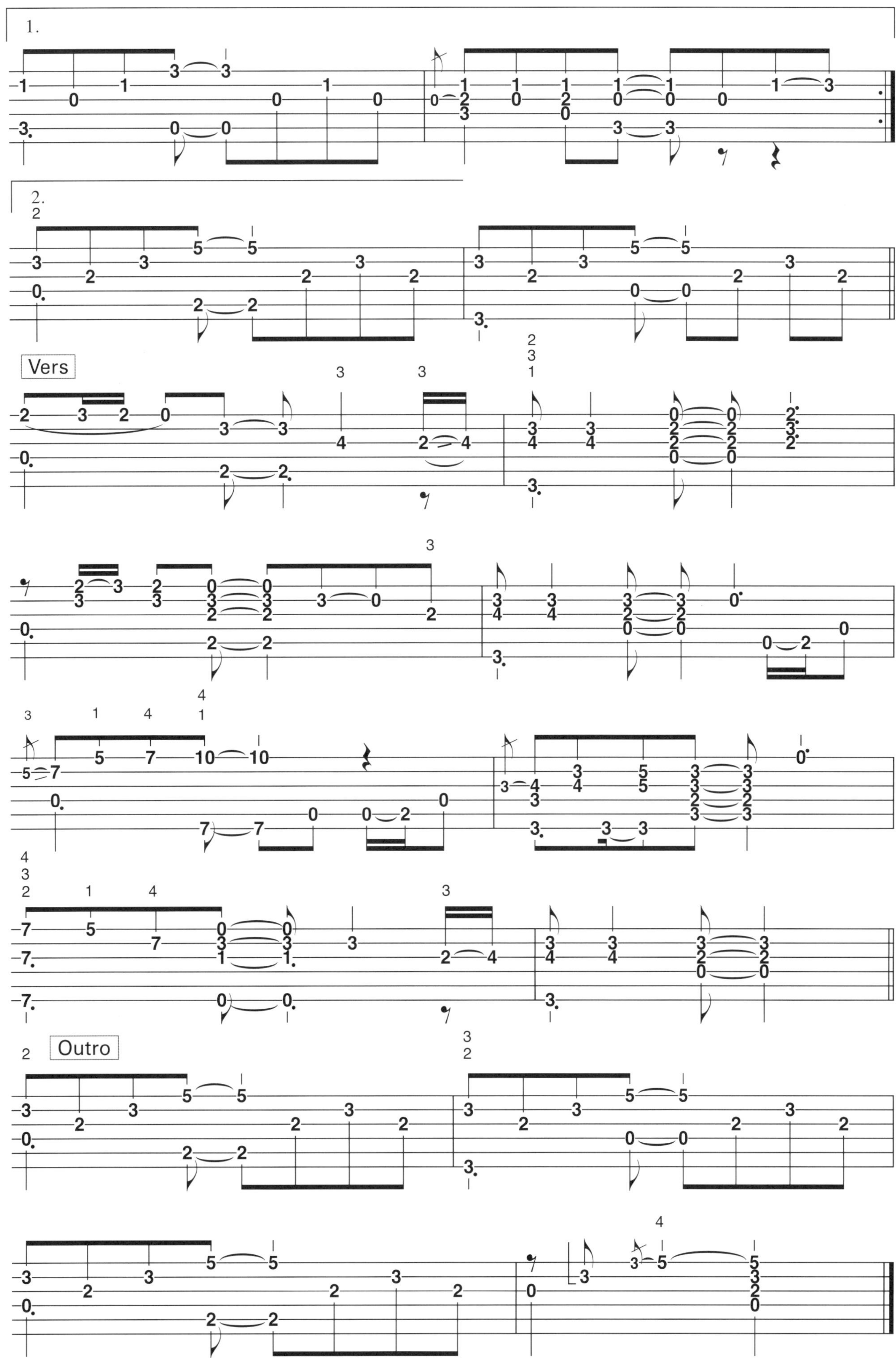
1.
2.
Vers
Outro

Probier's mal mit Gemütlichkeit

Basics

Original

„Probier's mal mit Gemütlichkeit" heißt im englischen Original „The Bare Necessities" („Das Allernotwendigste"). Das Lied ist aus dem Disney-Film „Das Dschungelbuch" bekannt und spielt mit dem Gleichklang der Worte „bare" und „bear" und wird von dem Bären Balu und dem kleinen Mogli gesungen.

„Probier's mal mit Gemütlichkeit" wird am Klavier gerne als Ragtime-Arrangement gespielt. Meine Gitarrenversion ist im gleichen Stil.
Bitte achte darauf, die Bassnoten, die den Notenhals nach unten haben, mit dem Daumen anzuschlagen.
Die Bassnoten auf die Zählzeiten 2 und 4 würde man am Klavier mit der linken Hand als Akkord spielen. Vielleicht hilft diese Vorstellung, die 2 und 4 „schwerer" zu nehmen und so ein gutes Ragtime-Feeling zu bekommen.

Basic Strumming

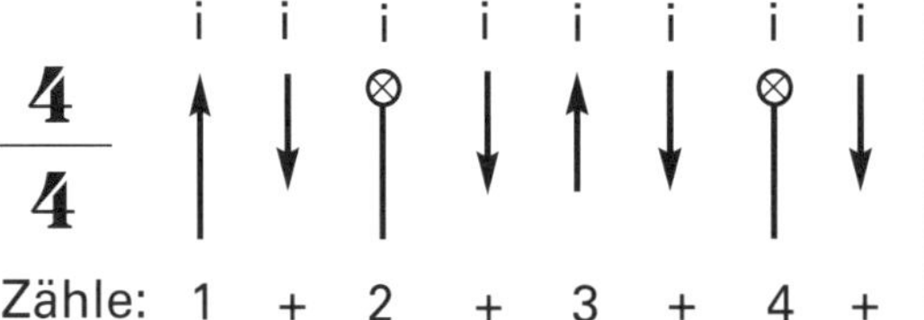

Akkorde Strumming

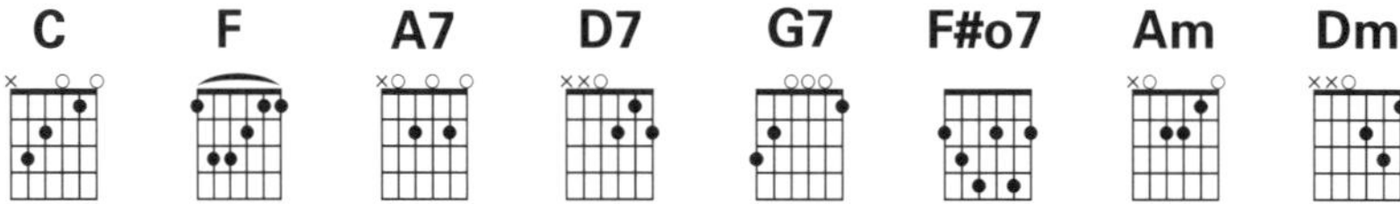

Basic Picking

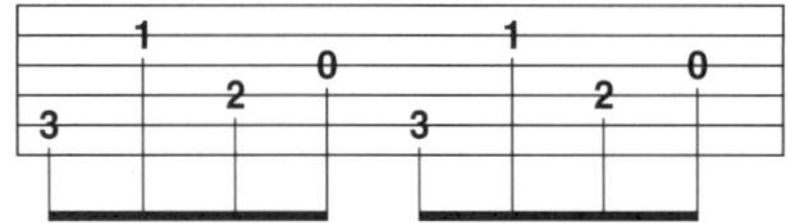

Akkorde Picking

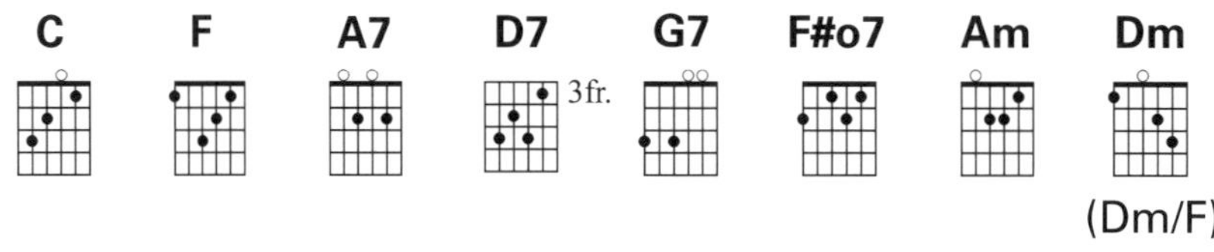

Text + Akkorde

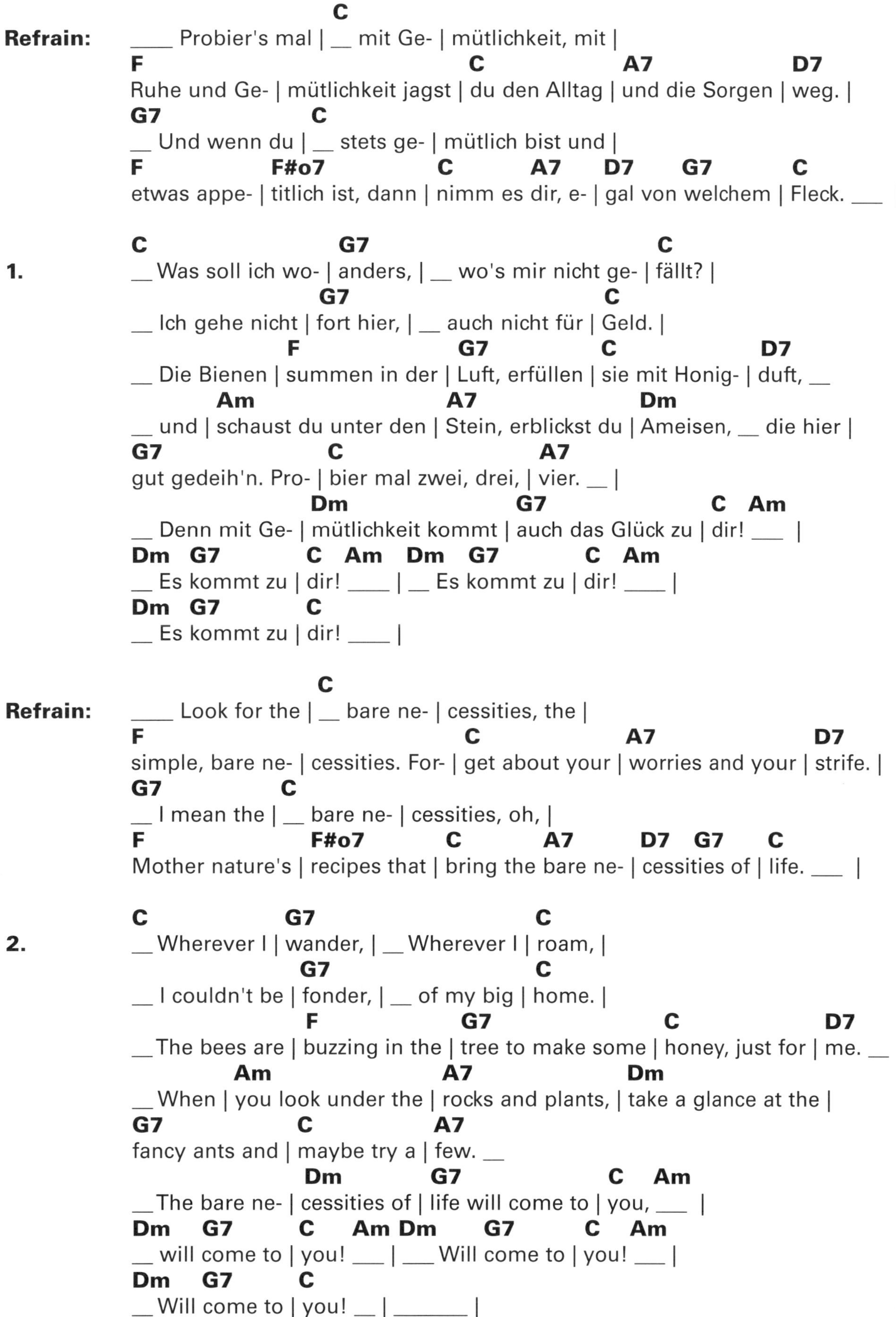

```
                                C
Refrain:   ____ Probier's mal | __ mit Ge- | mütlichkeit, mit |
           F                                    C                A7                  D7
           Ruhe und Ge- | mütlichkeit jagst | du den Alltag | und die Sorgen | weg. |
           G7                     C
           __ Und wenn du | __ stets ge- | mütlich bist und |
           F               F#o7                C          A7      D7      G7          C
           etwas appe- | titlich ist, dann | nimm es dir, e- | gal von welchem | Fleck. ___  |

           C                       G7                                   C
1.         __ Was soll ich wo- | anders, | __ wo's mir nicht ge- | fällt? |
                                 G7                          C
           __ Ich gehe nicht | fort hier, | __ auch nicht für | Geld. |
                             F                   G7              C                  D7
           __ Die Bienen | summen in der | Luft, erfüllen | sie mit Honig- | duft, __
                     Am                               A7                    Dm
           __ und | schaust du unter den | Stein, erblickst du | Ameisen, __ die hier |
           G7                     C                      A7
           gut gedeih'n. Pro- | bier mal zwei, drei, | vier. __ |
                                Dm                    G7                     C   Am
           __ Denn mit Ge- | mütlichkeit kommt | auch das Glück zu | dir! ___  |
           Dm   G7            C   Am    Dm   G7           C   Am
           __ Es kommt zu | dir! ____ | __ Es kommt zu | dir! ____ |
           Dm   G7            C
           __ Es kommt zu | dir! ____ |

                              C
Refrain:   ____ Look for the | __ bare ne- | cessities, the |
           F                                   C                A7                     D7
           simple, bare ne- | cessities. For- | get about your | worries and your | strife. |
           G7                C
           __ I mean the | __ bare ne- | cessities, oh, |
           F                   F#o7           C          A7         D7   G7     C
           Mother nature's | recipes that | bring the bare ne- | cessities of | life. ___  |

           C                G7                          C
2.         __ Wherever I | wander, | __ Wherever I | roam, |
                            G7                          C
           __ I couldn't be | fonder, | __ of my big | home. |
                              F                G7                     C                 D7
           __ The bees are | buzzing in the | tree to make some | honey, just for | me. __
                       Am                       A7                    Dm
           __ When | you look under the | rocks and plants, | take a glance at the |
           G7                   C                   A7
           fancy ants and | maybe try a | few. __
                               Dm            G7                   C    Am
           __ The bare ne- | cessities of | life will come to | you, ___  |
           Dm    G7           C     Am Dm      G7           C    Am
           __ will come to | you! ___ | ___ Will come to | you! ___ |
           Dm    G7           C
           __ Will come to | you! __ | ______ |
```

Probier's mal mit Gemütlichkeit

Noten

Words & Music by Terry Gilkyson, dt. Text: Heinrich Riethmüller

arr.: Michael Langer

14

II

Probier's mal mit Gemütlichkeit

TAB

Words & Music by Terry Gilkyson, dt. Text: Heinrich Riethmüller

arr.: Michael Langer

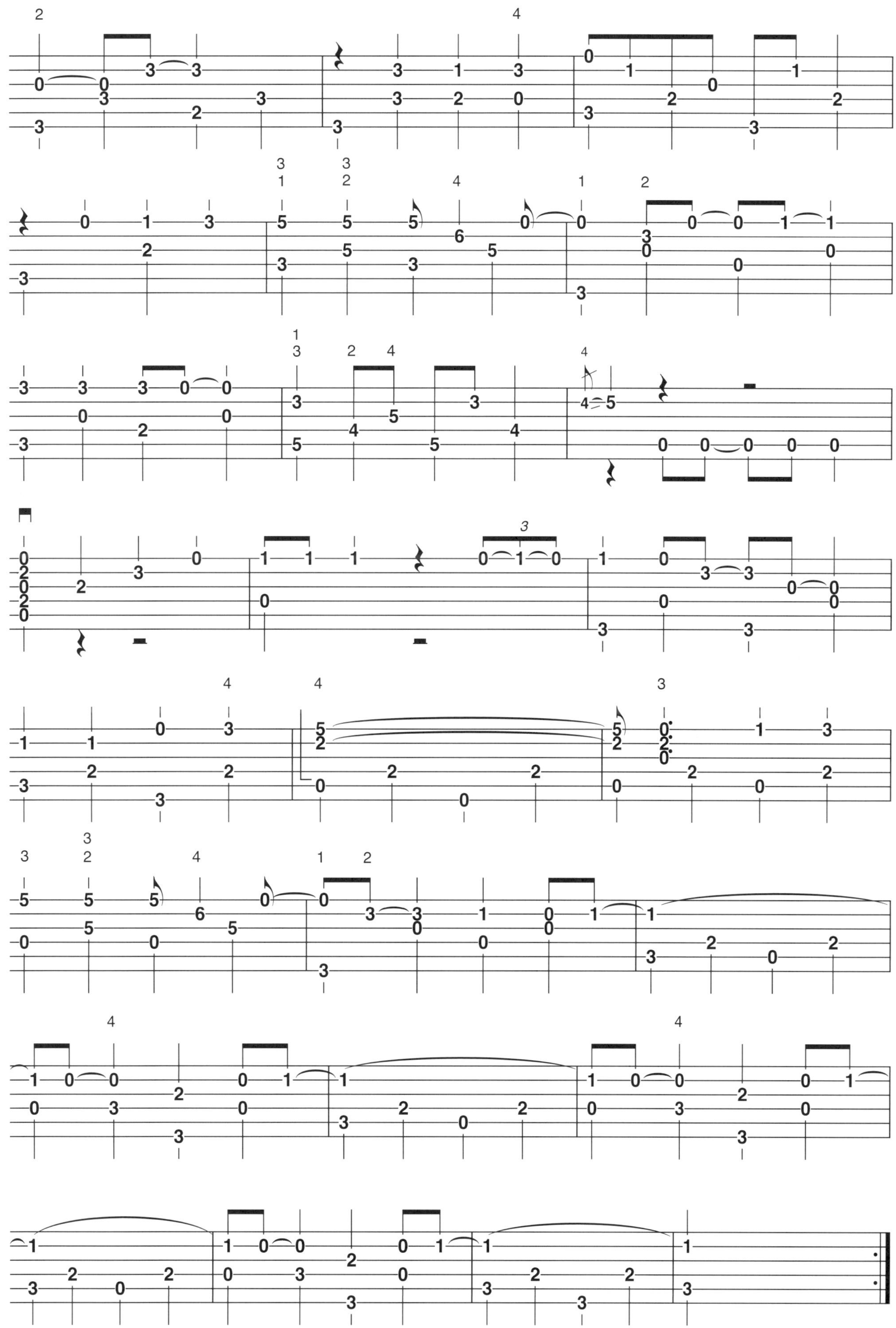

Right Here Waiting

Basics

Original

Diese Ballade wurde 1989 vom amerikanischen Singer-Songwriter Richard Marx geschrieben. Entgegen dem damaligen Trend zu Synthesizersounds und elektronischem Schlagzeug begleitet sich Marx nur am Klavier und mittendrin gibt es auch noch ein klassisches Gitarrensolo.
Mein Arrangement ist anfangs eine genaue Transkription des Klavierintros. Den Stil dieser Einleitung versuche ich dann im Rest des Arrangements, möglichst gitarristisch natürlich, beizubehalten.

Basic Strumming

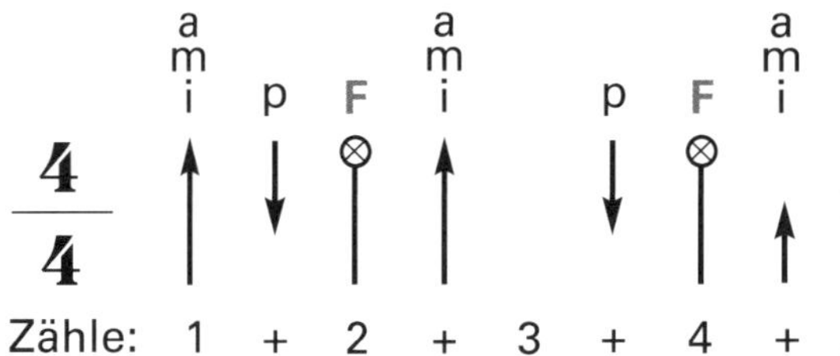

Akkordwechsel auf 2+!

Akkorde Strumming

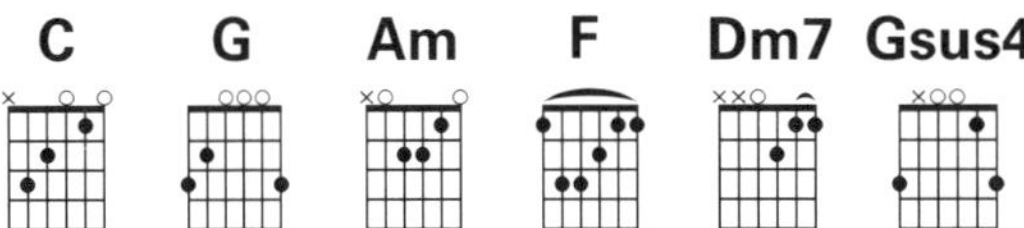

Basic Picking

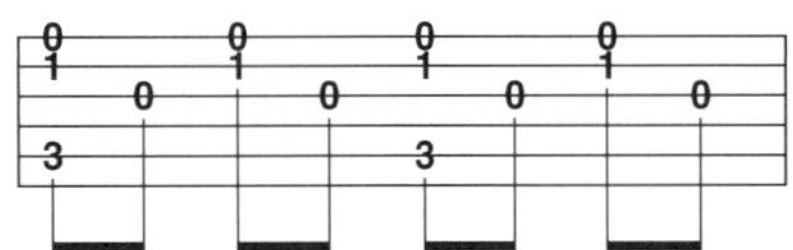

Akkordwechsel auf 3!

Akkorde Picking

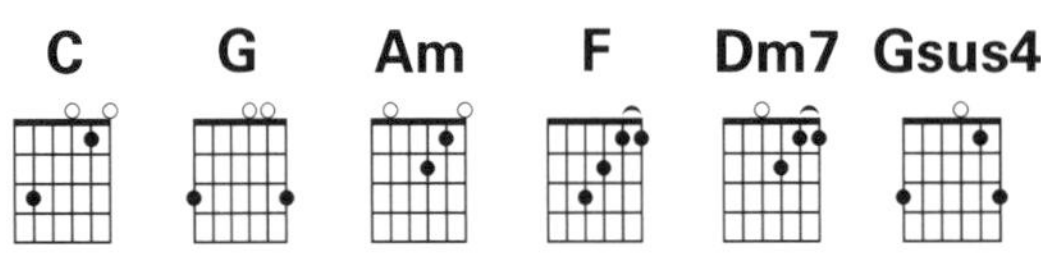

Text + Akkorde

C G Am F G C G Am F G Am
Outro: ____ | ____ | ____ | ___ ___ | ____ | ____ | ____ | ___ ___ | ____ | ____ |

C F Dm7 Gsus4 C
1. ___ Oceans a- | part, day after | day, and I | slowly go in- | sane. ___
F Dm7 Gsus4 Am
___ I hear your | voice on the | line but it | doesn't stop the | pain, ___
Dm7 Am Dm7 Gsus4
___ if I see you | next to never, | ___ but how can we | say forever. ___ |

C G Am
Refrain: ___ Wherever you | go, whatever you | do, ___
F G C
___ I will be | right here waiting for | you. ___
G Am
___ Whatever it | takes or how my heart | breaks, ___
F G Am
___ I will be | right here waiting for | you. ___ | ____ |

C F Dm7 Gsus4 C
2. ___ I took for | granted all the | times, that I | thought would last | somehow, ___
F Dm7 Gsus4 Am
___ I hear a | laughter, I taste the | tears, but I | can't get near you | now. ___
Dm7 Am Dm7 Gsus4
___ Oh, can't you | see it, baby, | ___ you got me | going crazy. ___ |

C G Am
Refrain: ___ Wherever you | go, whatever you | do, ___
F G C
___ I will be | right here waiting for | you. ___
G Am
___ Whatever it | takes or how my heart | breaks, ___
F G
___ I will be | right here waiting for |

Dm7 C F
Bridge: you. I wonder | how we can sur- | vive this ro- | mance? ___ |
Dm7 C F Gsus4
___ But in the | end if I'm with | you, I'd take the | chance. |

C G Am F G C G Am F G C
Outro: ____ | ____ | ____ | ___ ___ | ____ | ____ | ____ | ___ ___ | ____ |

Right Here Waiting

Noten

Words & Music by Richard Marx
arr.: Michael Langer

15

Intro

Vers

Refrain
1.
2.
Bridge
Outro

Right Here Waiting

TAB

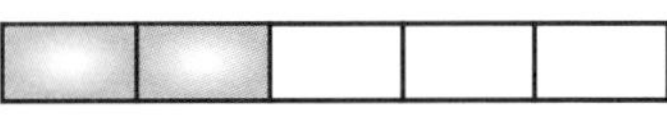

Words & Music by Richard Marx

arr.: Michael Langer

15

Intro

Vers

Refrain
1.
2.
Bridge
Outro

Shallow

Basics

Original

Dreimal ist „Shallow", ein Duett für Sängerin Lady Gaga und den singenden Schauspieler Bradley Cooper, in dem romantischen, 2018 erschienenen Drama „A Star Is Born" zu hören.

Das von Lukas Nelson gespielte Akustik-Gitarren-Intro ist wie eine Synthese aller Akustik-Gitarren-Intros der Pop-Geschichte und so ein Meisterwerk in sich: Grund genug, auch den Vers in diesem Stil zu arrangieren.
Im weiteren Verlauf sollen die Akkorde im Refrain und die drückenden Bässe in der Bridge ein wenig die Dramatik, die der Song in der Performance der beiden Sänger bekommt, ins Akustikgitarren-Arrangement retten. Auch die Dynamik-Bezeichnungen, die ich hinzugefügt habe, sollen helfen, die großen Spannungsbögen dieses Popsongs nachzuzeichnen.

Basic Strumming

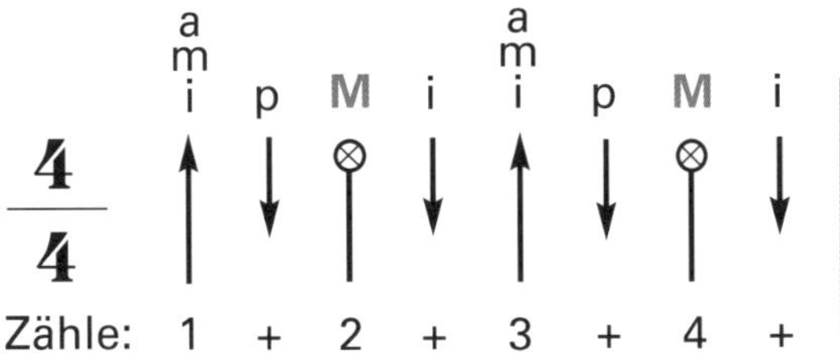

Akkorde Strumming

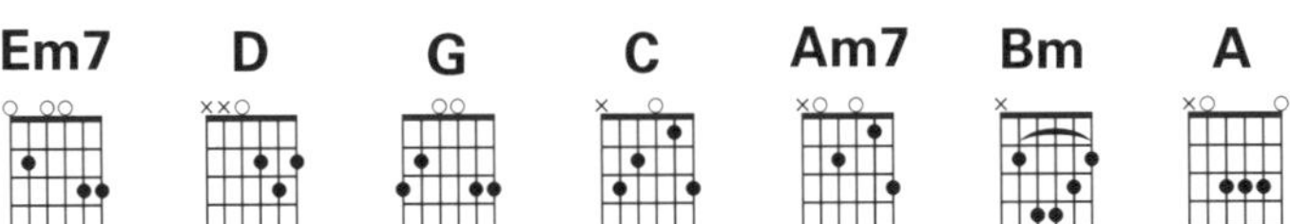

Basic Picking

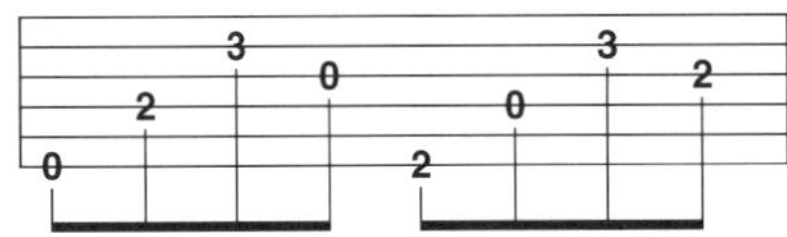

Akkorde Picking

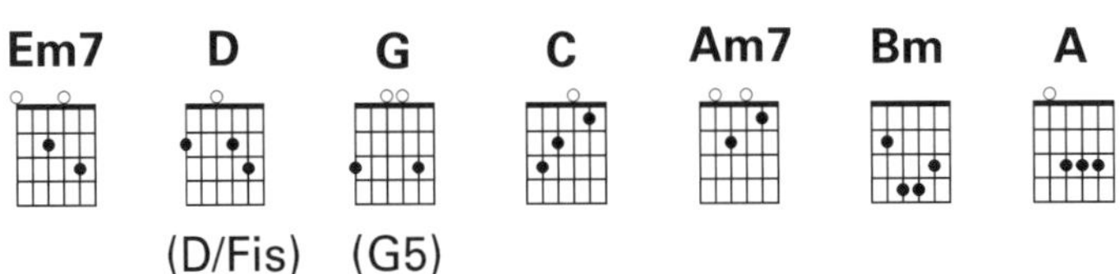

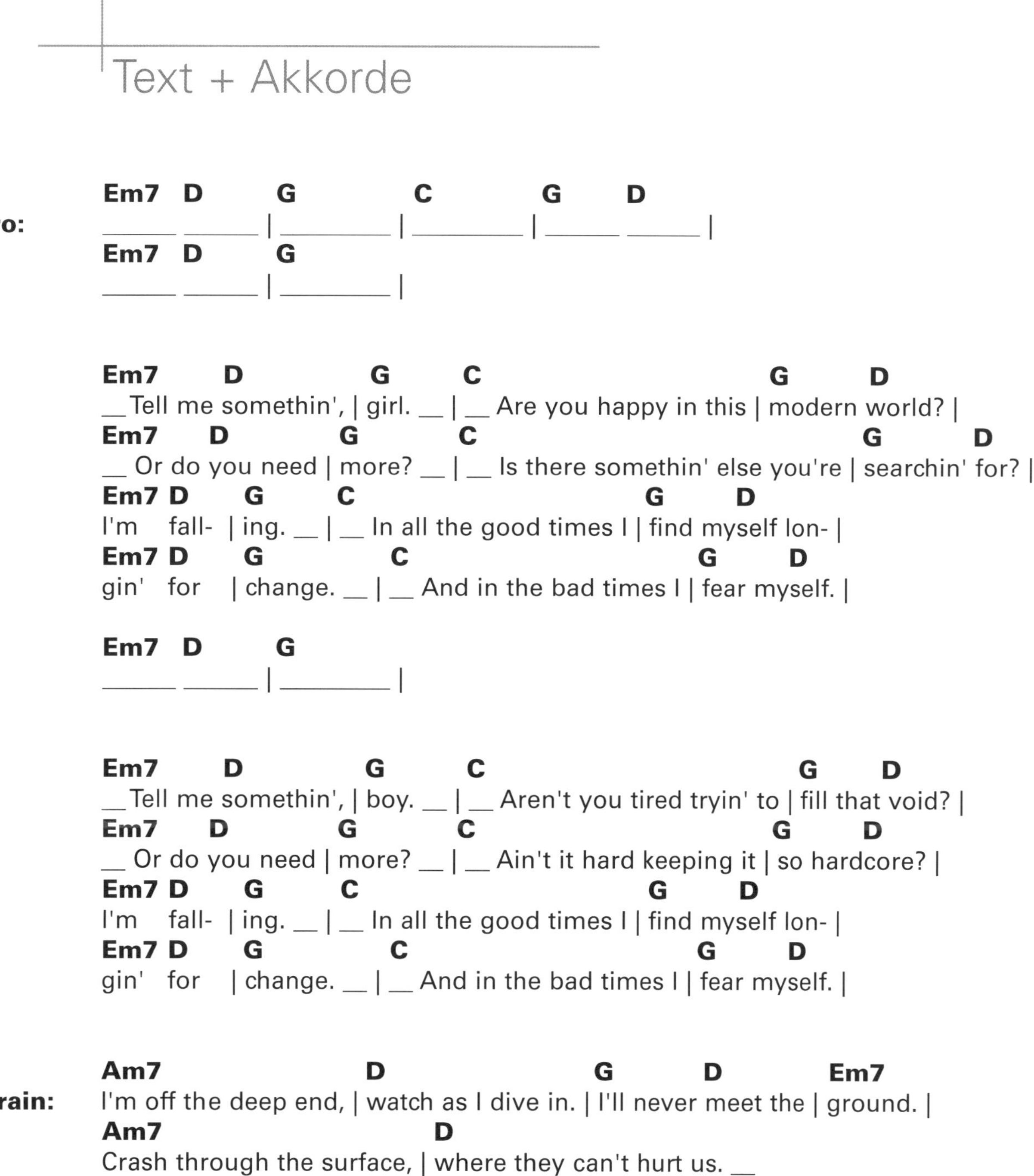

Text + Akkorde

Intro:

Em7 D G C G D
_____ _____ | ________ | ________ | _____ _____ |
Em7 D G
_____ _____ | ________ |

1.

Em7 D G C G D
__ Tell me somethin', | girl. __ | __ Are you happy in this | modern world? |
Em7 D G C G D
__ Or do you need | more? __ | __ Is there somethin' else you're | searchin' for? |
Em7 D G C G D
I'm fall- | ing. __ | __ In all the good times I | find myself lon- |
Em7 D G C G D
gin' for | change. __ | __ And in the bad times I | fear myself. |

Em7 D G
_____ _____ | ________ |

2.

Em7 D G C G D
__ Tell me somethin', | boy. __ | __ Aren't you tired tryin' to | fill that void? |
Em7 D G C G D
__ Or do you need | more? __ | __ Ain't it hard keeping it | so hardcore? |
Em7 D G C G D
I'm fall- | ing. __ | __ In all the good times I | find myself lon- |
Em7 D G C G D
gin' for | change. __ | __ And in the bad times I | fear myself. |

Refrain:

Am7 D G D Em7
I'm off the deep end, | watch as I dive in. | I'll never meet the | ground. |
Am7 D
Crash through the surface, | where they can't hurt us. __
G D Em7
__ We're | far from the shallow | now. __ |
Am7 D G D Em7
__ In the sha- a, | sha- al- low, | __ in the sha- sha - la- | la- la- low, |
Am7 D G D Em7
__ In the sha- a, | sha- al- low, we're | far from the shallow | now. __ | ________ |

Bridge:

Bm D A Em7 Bm D A
Oh, ah, | ________ | ah, ha, | ________ | ah, ha, | ________ | ________ |

Refrain:

Shallow

Noten

Words & Music by Andrew Wyatt, Anthony Rossomando, Mark Ronson & Stefani Germanotta

arr.: Michael Langer

Intro

16

mp

Vers

mf

1.

Pre-Refrain
2.
Refrain
1.
Bridge
2.

Shallow

TAB

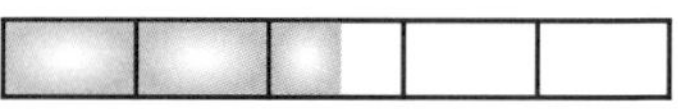

Words & Music by Andrew Wyatt, Anthony Rossomando,
Mark Ronson & Stefani Germanotta
arr.: Michael Langer

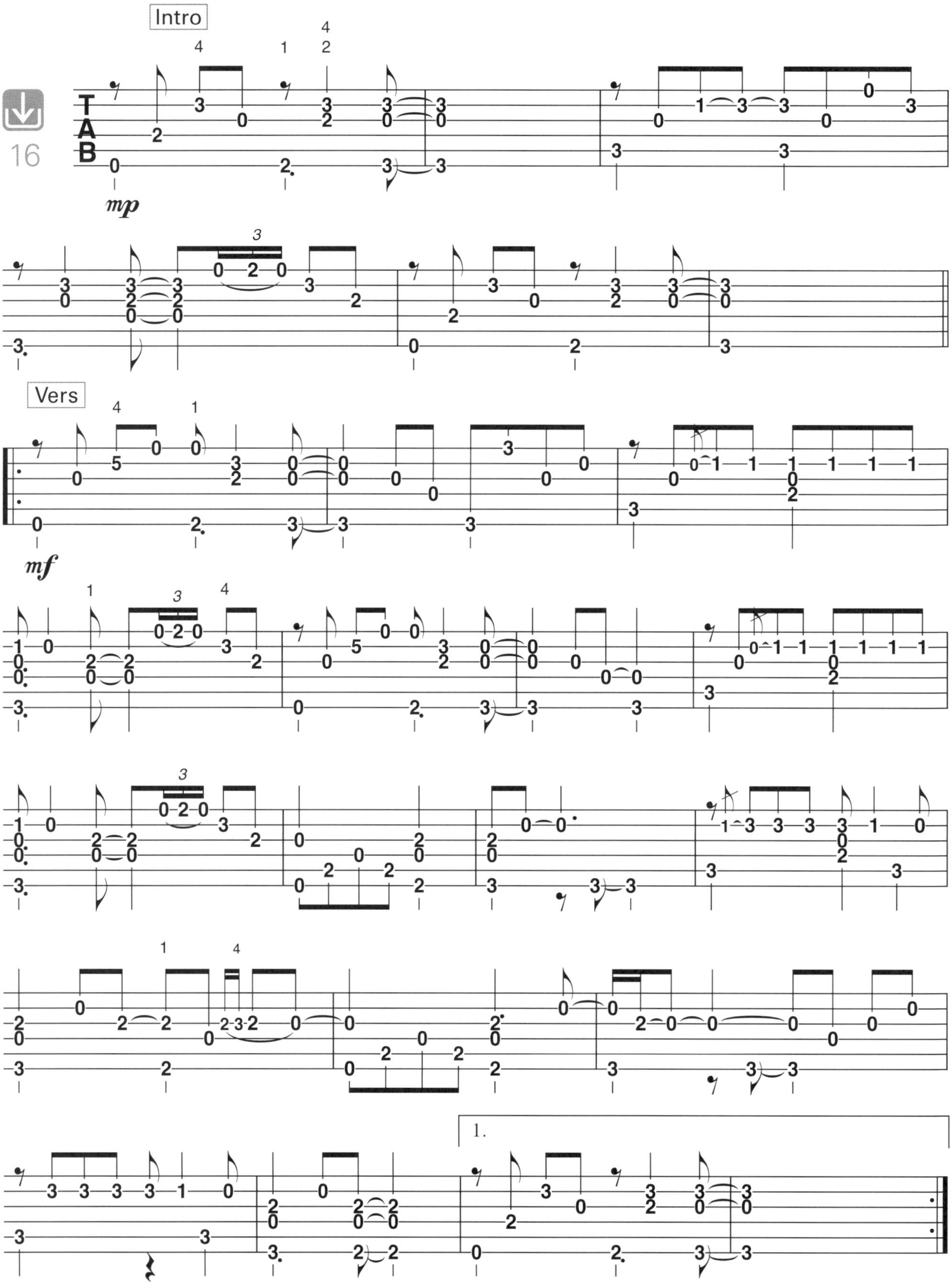

16

Intro

mp

Vers

mf

1.

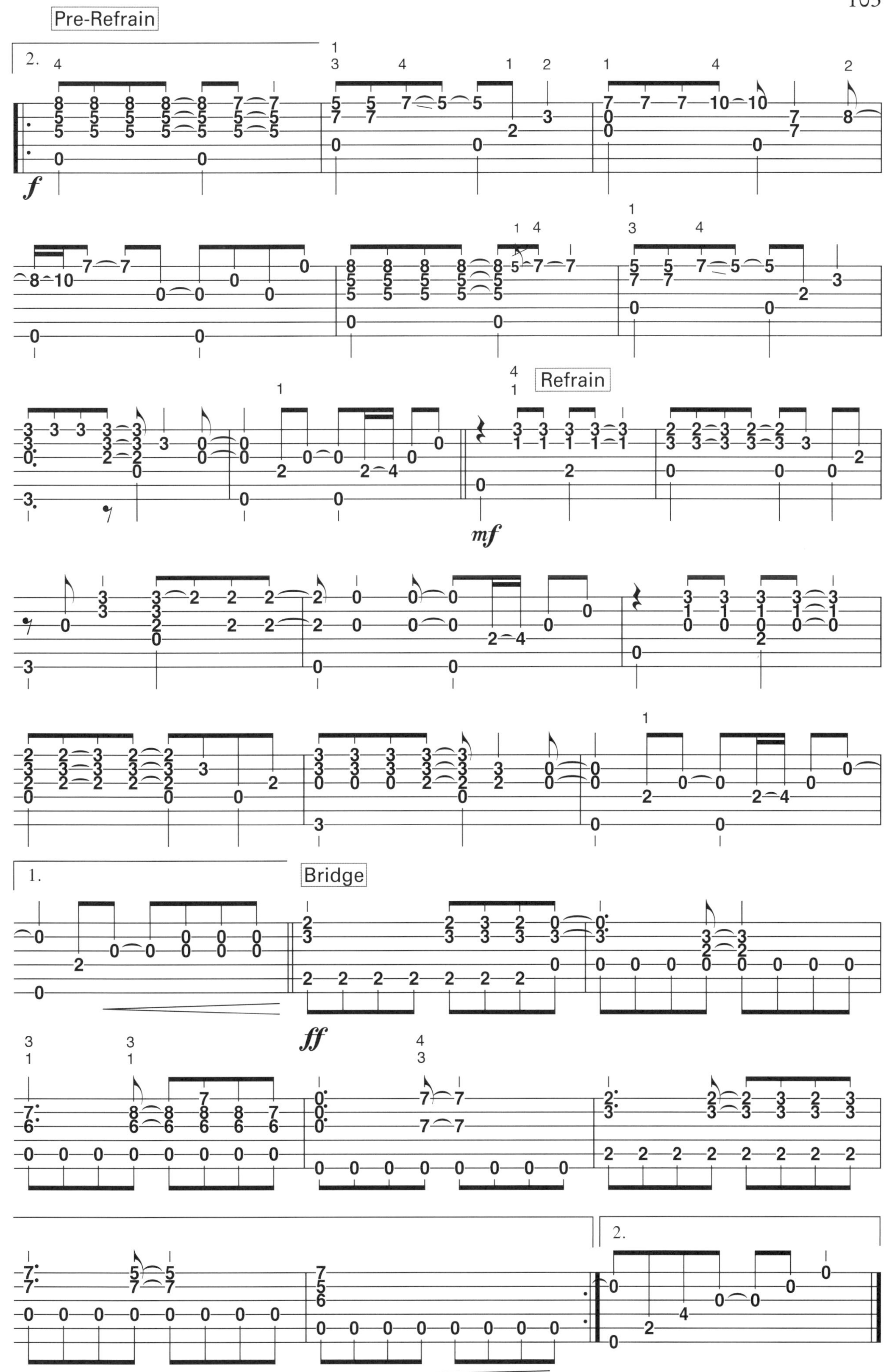
Pre-Refrain
Refrain
Bridge

Shape Of You

Basics

Original

Ed Sheeran schrieb dieses Lied ursprünglich für Rihanna. Seine Plattenfirma, die unbedingt noch eine tanzbare Lead-Single für Eds drittes Studioalbum haben wollte, überzeugte ihn, das Lied selber aufzunehmen. 2018 gab es einen Grammy für „Shape Of You" und in zahlreichen Ländern Platz 1 der Single-Charts.

„Shape Of You" ist ein Four-Chord-Song, Originaltonart ist cis-Moll. Im Vordergrund steht ein eingängiger, gut tanzbarer 3-3-2-Achtelrhythmus, den ich auch für Strumming und Picking verwendet habe.
Die Tonart a-Moll meines Solo-Arrangements ist ideal für Gitarre: Der 3-3-2-Rhythmus wandert in den Bass und alle Melodienoten können – aus den Akkordgriffen heraus – in der I. Lage gespielt werden.

Basic Strumming

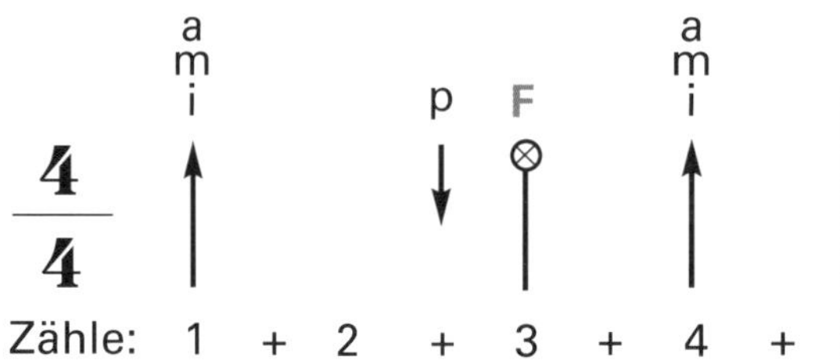

Akkorde Strumming

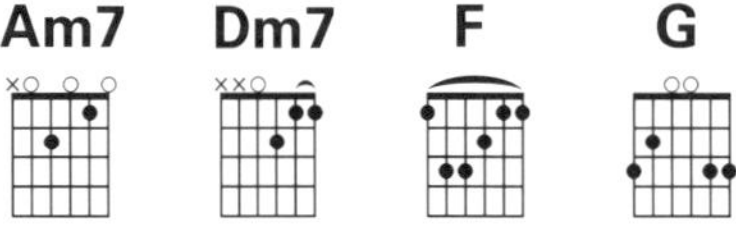

Basic Picking

Akkorde Picking

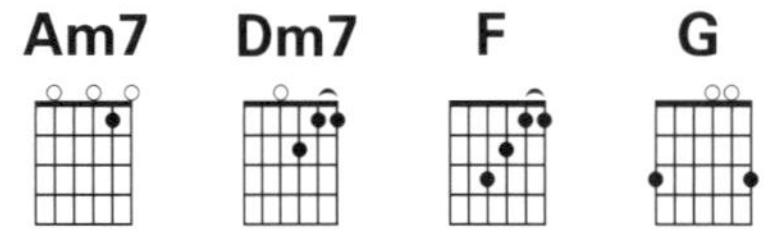

Intro:
Am7 Dm7 F G Am7 Dm7 F G
_______ | _______ | _______ | _______ | _______ | _______ | _______ | ___

1.
Am7 Dm7 F G
__The | club isn't the best | place to find a lover, so the | bar is where I | go. ___ |
Am7 Dm7 F
Me and my friends at the | table doing shots, drinking | fast and then we talk |
G Am7 Dm7
slow, you come | over and start up a conver- | sation with just me and |
F G Am7
trust me I'll give it a | chance now. Take my | hand, stop, put Van the |
Dm7 F G
man on the jukebox and | then we start to | dance. And now I'm singing like |

Refrain:
Am7 Dm7 F G
girl, you know I | want your love, | your love was handmade | for somebody like |
Am7 Dm7 F G
me, come on now, | follow my lead. | I may be crazy, | don't mind me, say |
Am7 Dm7 F G
boy, let's not | talk too much, | grab on my waist and | put that body on |
Am7 Dm7 F *(no chord)*
me, come on now, | follow my lead, come, | come on now, follow my | lead. |
Am7 Dm7 F G
__ I'm in | love with the shape of | you, we push and | pull like a magnet |
Am7 Dm7 F G
do, although my | heart is falling | too. I'm in | love with your body. |
Am7 Dm7 F G
__ And last | night you were in my | room and now my | bedsheets smell like |
Am7 Dm7 F G
you, ev'ry day discover- | ing something brand | new, I'm in | love with your body. |
Am7 Dm7 F G
||: Oh- I- oh- I- | oh- I- oh- I- | __ I'm in | love with your body. :|| *(3x wiederholen)*
Am7 Dm7 F G
__ Ev'ry day discover- | ing something brand | new, I'm in | love with the shape of |

2.
Am7 Dm7 F G
One week in we let the | story begin we're going | out on our first | date, you and |
Am7 Dm7 F
me are thrifty, so go | all you can eat, fill up your | bag and I fill up a |
G Am7 Dm7
plate. We talk for | hours and hours about the | sweet and the sour and how your |
F G Am7
family is doing o- | kay. Leave and | get in a taxi, then |
Dm7 F G
kiss in the backseat, tell the | driver make the radio | play. And now I'm singing like |

Refrain:

Bridge:
Am7 Dm7 F G
||: __ Come on, be my | baby, come on, | __ come on, be my | baby, come on. :||
(4x wiederholen)

(Das Solo-Arrangement endet hier. Auf Vers 2 und die Wiederholung des Refrains – hier kursiv gedruckt – wird in der Instrumentalfassung verzichtet.)

Refrain:

Shape Of You

Noten

Words & Music by Johnny McDaid, Steven McCutcheon, Edward Sheeran, Kandi Burruss, Kevin Briggs & Tameka Cottle

arr.: Michael Langer

4
3
3x
Bridge
3x

Shape Of You

TAB

Words & Music by Johnny McDaid, Steven McCutcheon, Edward Sheeran, Kandi Burruss, Kevin Briggs & Tameka Cottle

arr.: Michael Langer

Bridge
3x
3x

The Sound Of Silence

Basics

Original

„The Sound Of Silence" erschien 1964 auf einer Platte des US-Folkduos Simon & Garfunkel – rein mit akustischer Gitarre begleitet. Die Platte blieb erfolglos, das Duo löste sich auf, Paul Simon ging nach England.
In seiner Abwesenheit arrangierte der Produzent der Platte, Tom Wilson, die Nummer neu: im Stil des immer populärer werdenden Folk-Rock, mit E-Gitarre, Bass und Schlagzeug. Von dieser zweiten Fassung erfuhren Simon & Garfunkel anfangs nichts. Im Jänner 1966 stand die Nummer dann an der Spitze der US-Singlecharts und die Weltkarriere des Duos begann.
„The Sound Of Silence" rückte 2015 in der Cover-Version der US-Metal-Band Disturbed noch weiter Richtung Rock und sorgte für ein wahrhaft „gewaltiges" Revival dieses Welthits.

In meinem Arrangement wandert „The Sound Of Silence" natürlich wieder zurück zu Folk und akustischer Gitarre, mit leicht klassischen Einflüssen.
Als Besonderheit steht die Melodie im Bass und in die Oberstimme sind typische Patterns aus der akustischen Gitarrenbegleitung eingearbeitet.

Basic Strumming

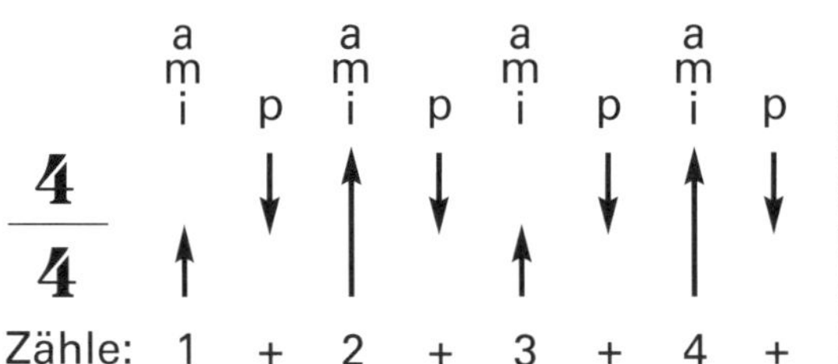

Akkorde Strumming

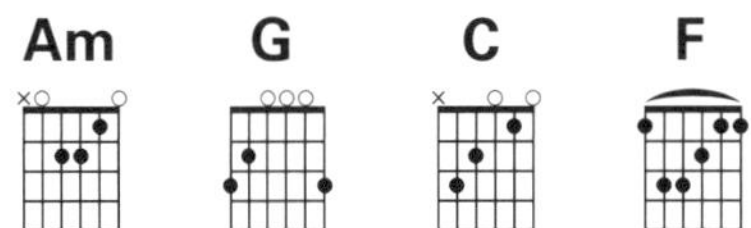

Basic Picking

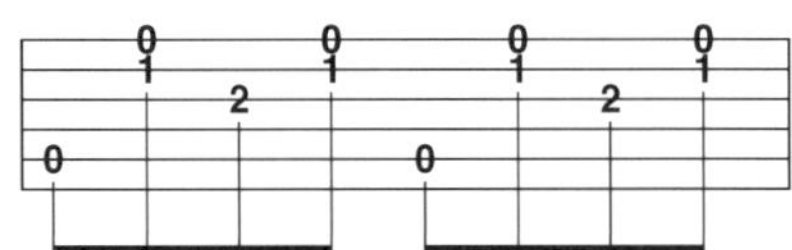

Akkorde Picking

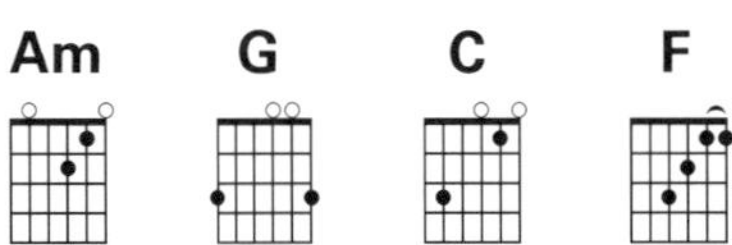

Am
Intro: ______ | ____

G **Am**
1. __ Hello darkness, my old | friend, | __ I've come to talk with you a- | gain. |
C **F** **C**
__ Because a vision soft- | ly creeping, |
F **C**
__ left its seeds while I | was sleeping. |
F
2/4 __ And the | 4/4 vision that was | planted in my |
C **Am** **C** **G** **Am**
brain still re- | mains ___ | 2/4 __ within the | 4/4 sound of | silence. |

Am **G** **Am**
2. __ In restless dreams I walked a- | lone. __ | __ Narrow streets of cobble- | stone. |
C **F** **C**
__ 'Neath the halo of | a street lamp, |
F **C**
__ I turned my collar to the | cold and damp. |
F
2/4 __ When my | 4/4 eyes were stabbed by the | flash of a neon |
C **Am** **C** **G** **Am**
light that split the | night ___ | 2/4 __ and touched the | 4/4 sound of | silence. |

Am **G** **Am**
3. __ And in the naked light I | saw __ | __ ten thousand people, maybe | more. |
C **F** **C**
__ People talking with- | out speaking, |
F **C**
__ people hearing with- | out listening. |
F
2/4 __ people | 4/4 writing songs __ that | voices never |
C **Am** **C** **G** **Am**
share and no one | dare ___ | 2/4 __ disturb the | 4/4 sound of | silence. |

(Das Solo-Arrangement endet hier.)

Am **G** **Am**
4. __ "Fools", said I, "You do not | know. __ | Silence like a cancer | grows. |
C **F** **C**
__ Hear my words that I | might teach you. |
F **C**
__Take my arms that I | might reach you.“ |
F
2/4 __ But my | 4/4 words __ like | silent raindrops |
C **Am** **C** **G** **Am**
fell ___ | ____ __ and | 2/4 echoed in the | 4/4 wells of | silence. |

Am **G** **Am**
5. __ And the people bowed and | prayed __ | to the neon god they | made. |
C **F** **C**
__ And the sign flashed out its | war- ning. |
F **C**
__ In the words that it | was forming. |
F
And the sign said "The | words of the prophets are | written on the subway |
C **Am** **C**
walls and tenement | halls" __ and | whispered in the |
G **Am**
sounds of | silence. | ______ |

The Sound Of Silence

Noten

Words & Music by Paul Simon

arr.: Michael Langer

1.
2.

The Sound Of Silence

TAB

Words & Music by Paul Simon

arr.: Michael Langer

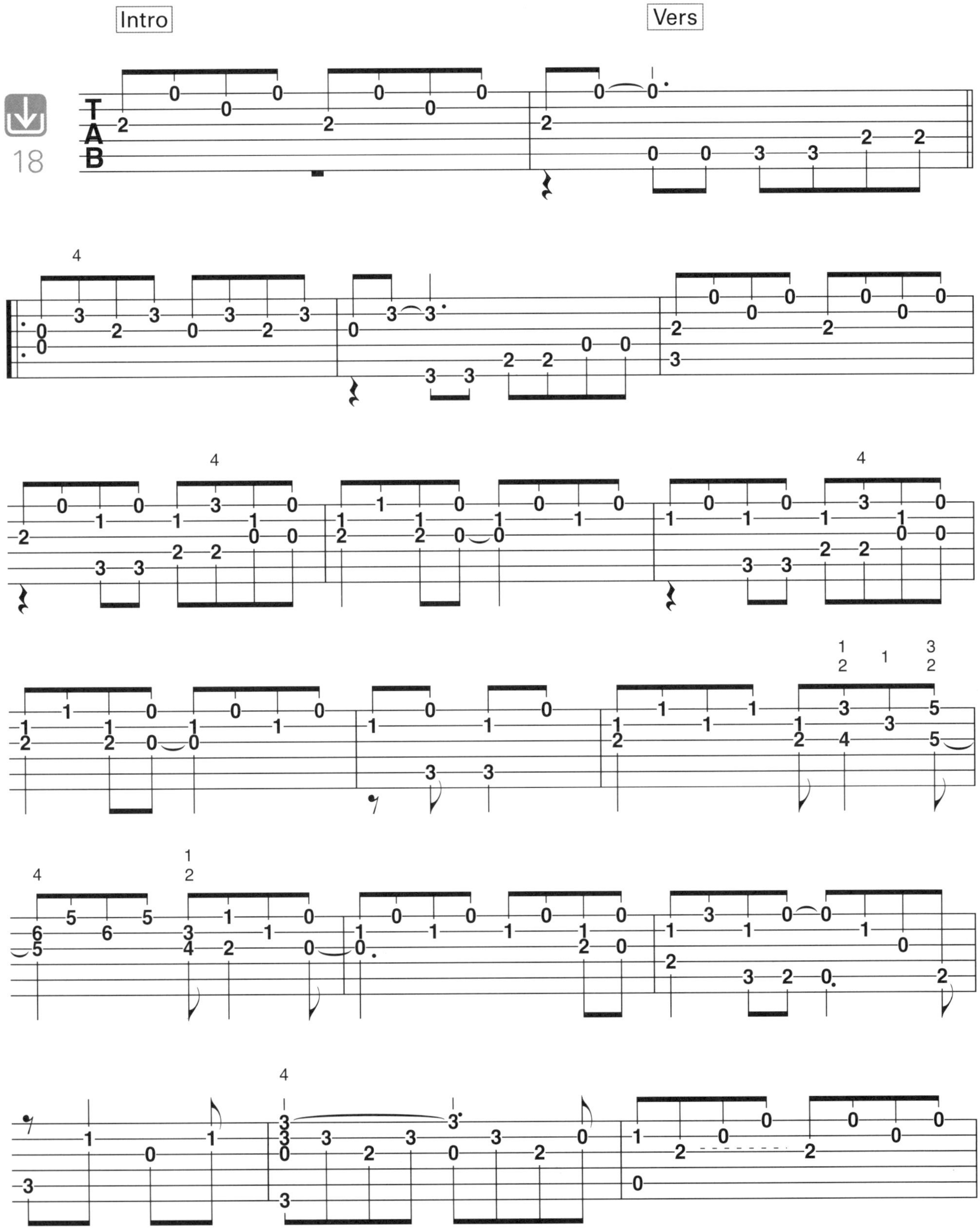

18

Intro

Vers

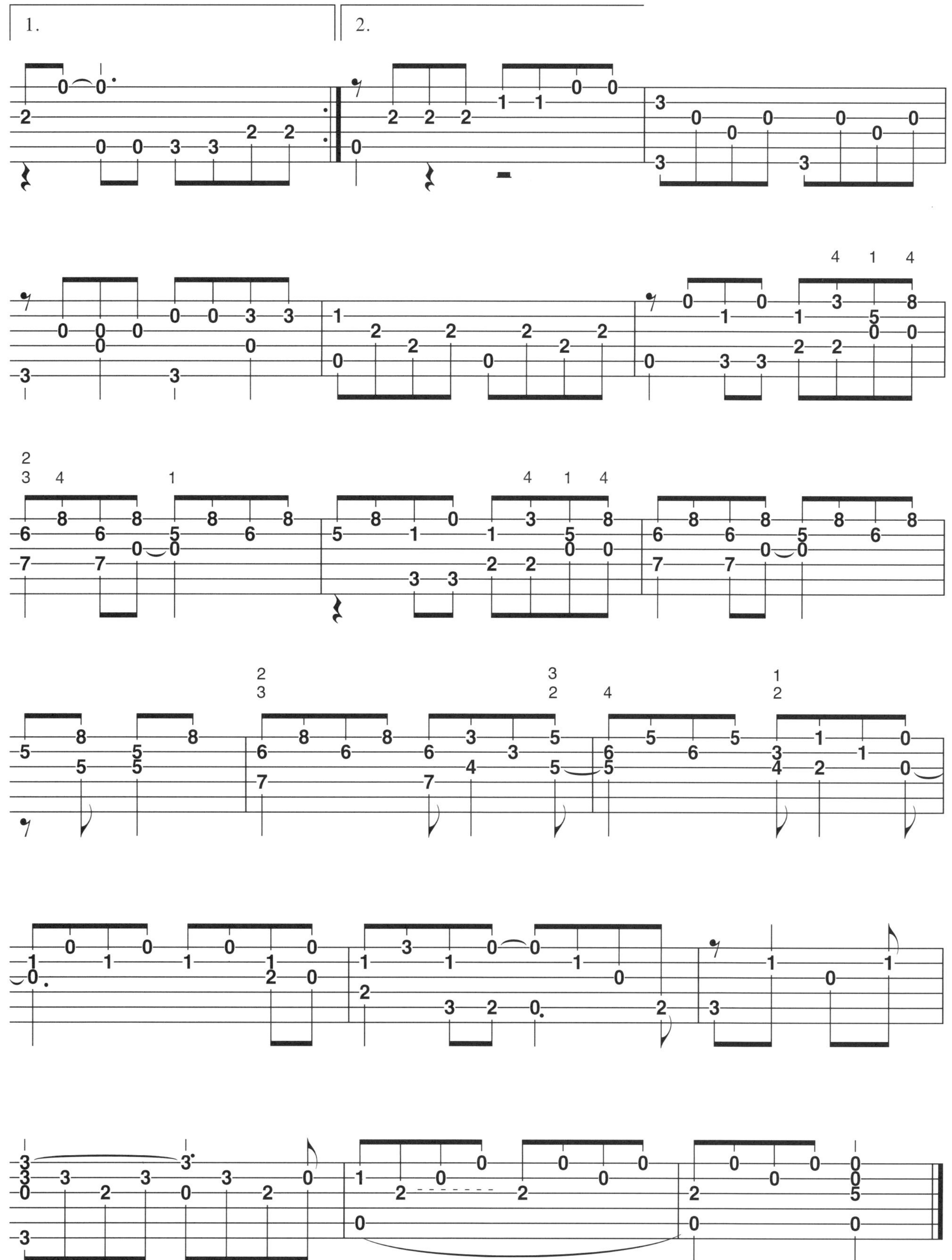
1.
2.

Stayin' Alive

Basics

Original

„Stayin' Alive" gehört zum Soundtrack des Disco-Klassikers „Saturday Night Fever" und ist stilbildend für diese Musikrichtung, genauso wie der hohe Falsettgesang der Bee Gees, die dieses Lied schrieben und 1977 aufnahmen.
„Stayin' Alive" hat aber auch mit 103 Schlägen pro Minute genau die empfohlene Taktfrequenz für Herzdruckmassage und wohl auch den passenden Titel dazu ...

Der Song beginnt mit einem großartigen Gitarrenriff im Sechzehntel-Feeling über einem monoton pulsierenden Schlagzeug-Loop.
Für mein Arrangement habe ich versucht, nicht nur dieses Riff ident zu übernehmen, sondern auch dessen instrumentale Idee auf die Gesangslinien der Bee Gees zu übertragen.

Die Originaltonart ist f-Moll. Auf der Gitarre, einen Halbton tiefer in e-Moll, hat man die Möglichkeit, mit den beiden tiefen leeren Saiten den Schlagzeug-Loop zu imitieren und dann noch genug Freiheit, darüber die Sechzehntel-Linien zu spielen.

Mit Kapodaster auf dem I. Bund kannst du in der Originaltonart spielen.

Basic Strumming

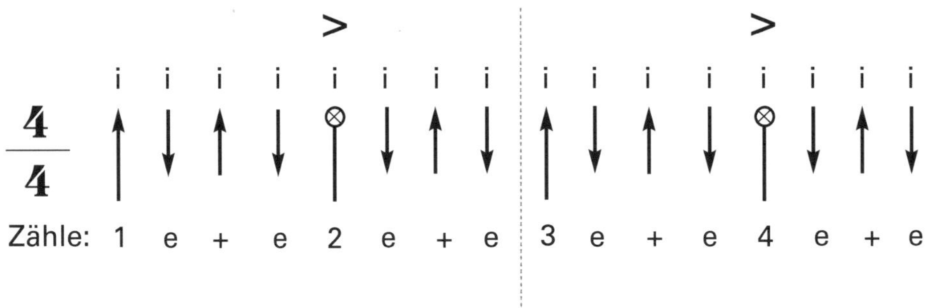

Akkorde Strumming

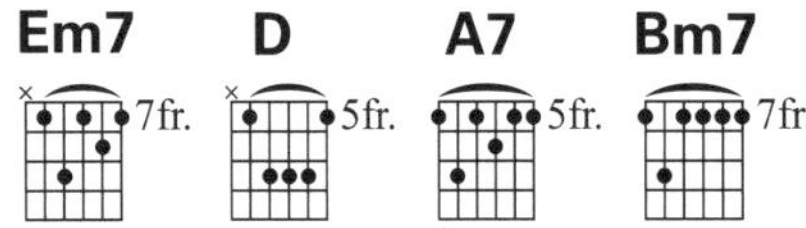

Basic Picking

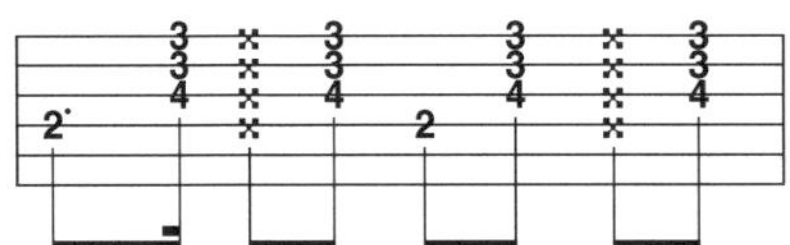

Akkorde Picking

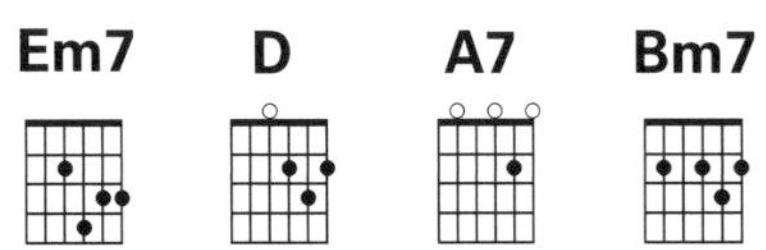

Intro:
Em7 | | **A7** | | **Em7** |
_______ | _______ | _______ | _______ | _______ | __

1.
Em7
___ Well, you can | tell by the way I use my walk, I'm a |
D **Em7**
woman's man, no time to talk. | Music loud and women warm, I've been |
D **Em7**
kicked around since I was born. __ And now it's |
A7
alright, it's okay. And | you may look the other way. |

We can try to understand the | New York Times' effect on man. |

Refrain:
Em7
Whether you're a brother or whether you're a mother you're |

stayin' alive, stayin' alive. |

Feel the city breakin' and everybody shakin' and we're |

stayin' alive, stayin' alive. |

Ah, ha, ha, ha, | stayin' alive, stayin' alive. | Ah, ha, ha, ha, |
D **Em7** **Bm7** **Em7**
stayin' alive. | _______ | _______ | _______ | _______ | __

2.
Em7
___ Well now, | I get low and I get high and if I |
D **Em7**
can't get either, I really try. Got the | wings of heaven on my shoes, I'm a |
D **Em7**
dancin' man and I just can't lose. You know it's |
A7
alright, it's okay. I'll | live to see another day. |

We can try to understand the | New York Times' effect on man. |

Refrain:

Bridge:
A7
__ Life goin' nowhere, | __ somebody help me, |
Em7
somebody help me, yeah! | _______ | _______ |
A7 **Em7**
__ Life goin' nowhere, | __ somebody help me, | yeah! __ Stayin' alive. | _______ |

(Das Solo-Arrangement endet hier.)

1.

Refrain:

Stayin' Alive

Noten

Words & Music by Maurice Gibb, Robin Gibb & Barry Gibb

arr.: Michael Langer

19

Refrain
VII
Flag.VII
D.S. al Coda
Bridge
Flag.XII

Stayin' Alive

Noten

Words & Music by Maurice Gibb, Robin Gibb & Barry Gibb

arr.: Michael Langer

19

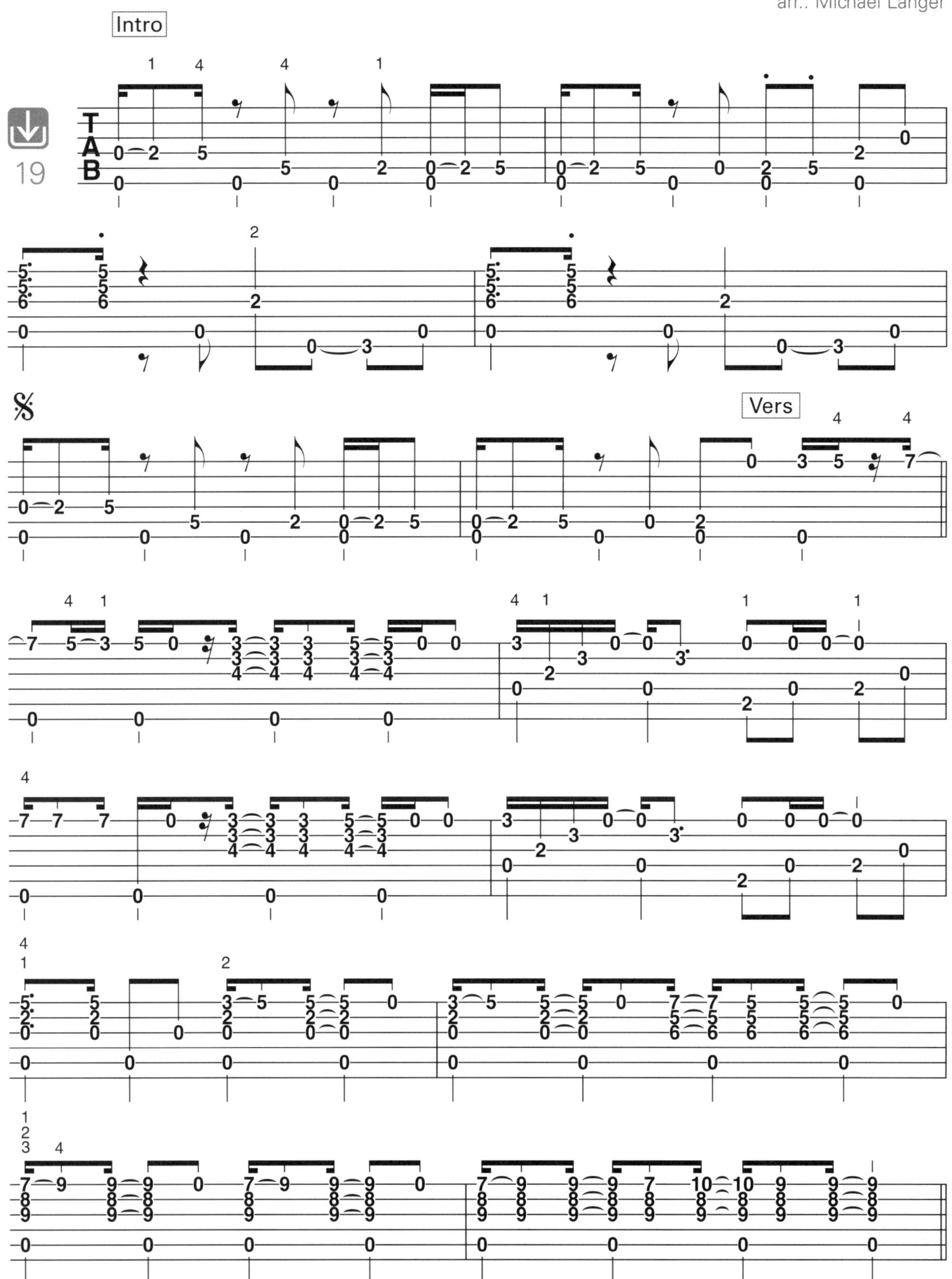

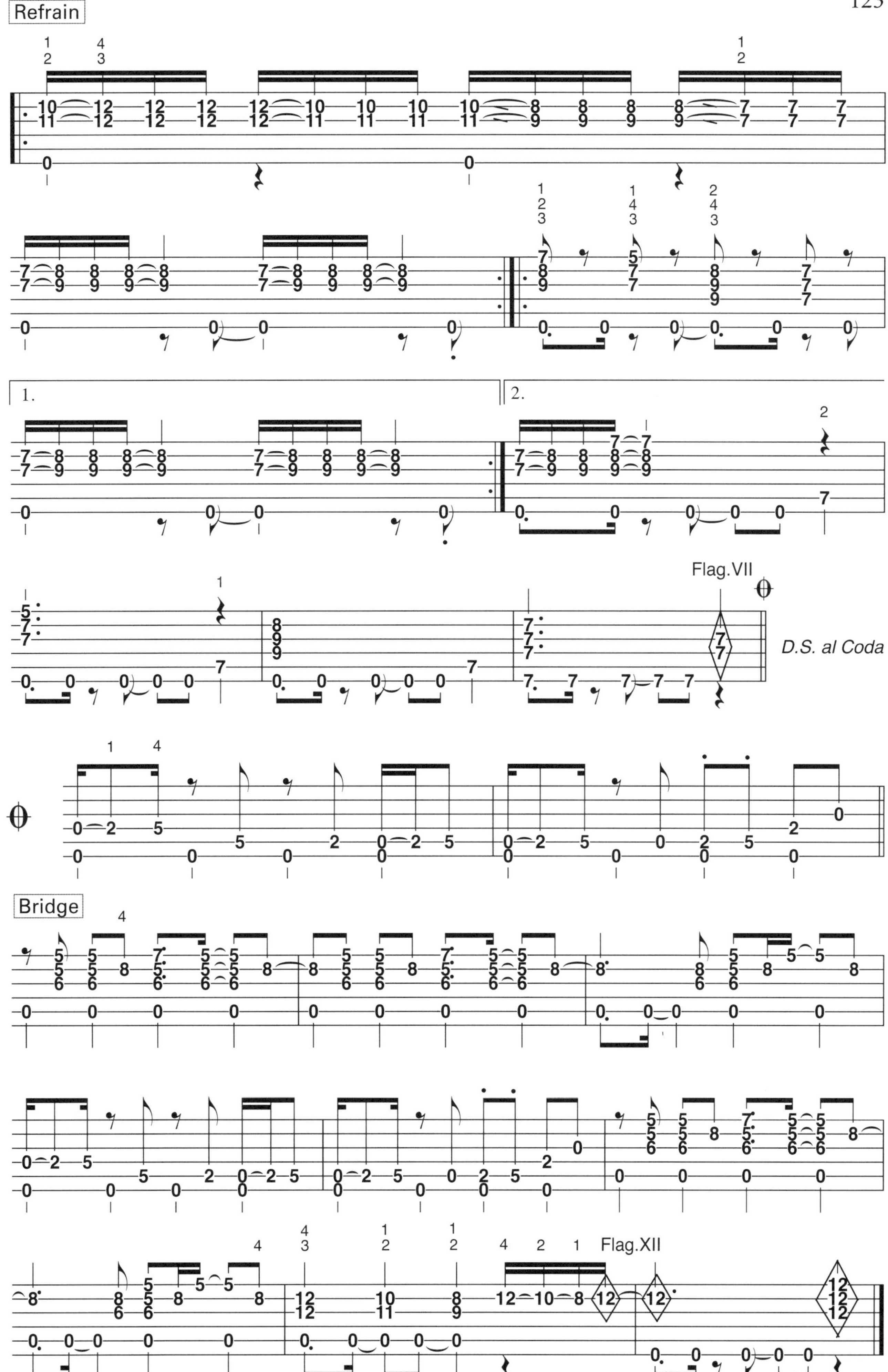
Refrain
Flag.VII
D.S. al Coda
Bridge
Flag.XII

U Remind Me

Basics

Original

„U Remind Me" ist ein Rhythm&Blues-Song des amerikanischen Sängers Usher aus dem Jahre 2001.

Ich habe dieses Lied in der Version des englischen Singer-Songwriters James Taylor-Watts kennengelernt, in einer Version nur für Stimme und akustische Gitarre. Die Art, wie er das Begleitriff spielt, ist typisch für Rhythm&Blues auf der akustischen Gitarre und war Inspiration, eine Instrumentalversion dieses Liedes zu schreiben.

Viele Slides, Bindungen, kurze Vorschlagsnoten, mehrstimmige Akkorde und Flageoletts artikulieren die sehr ähnlichen Gesangsphrasen abwechslungsreich und machen dieses letzte Stück zum technisch anspruchsvollsten, aber – wie ich hoffe – auch zugleich inspirierendsten Arrangement im Buch.

Basic Strumming

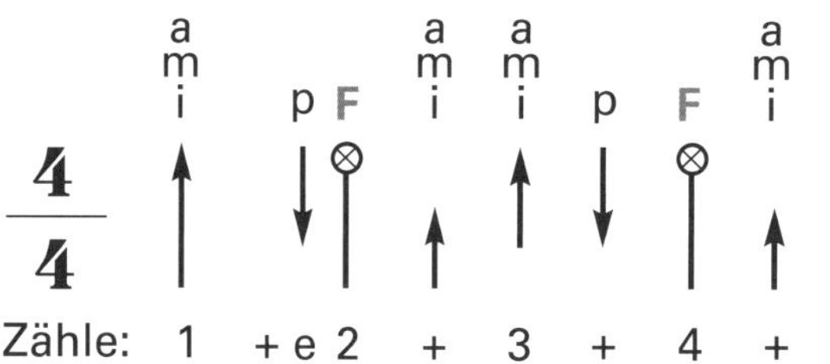

Akkorde Strumming

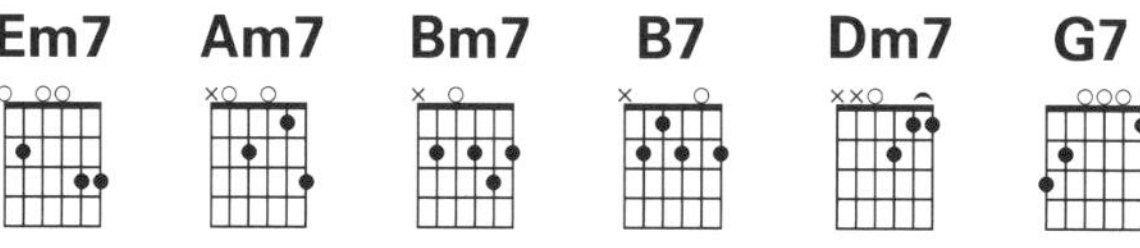

Basic Picking

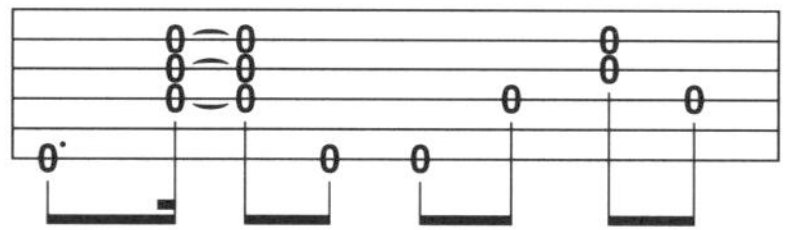

Akkorde Picking

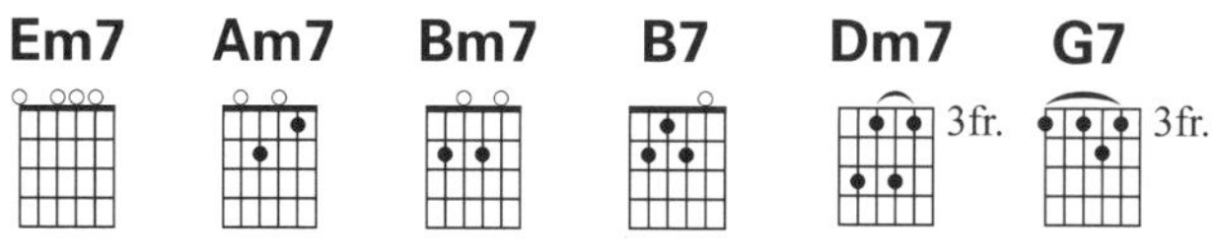

Text + Akkorde

Intro:
Em7 Am7 Bm7 Em7 Am7 Bm7
_______ | ____ ____ | _______ | ____ ____ |

1.
Em7 Am7 Bm7
__ See, the thing a- | bout you that caught my |
Em7 Am7 Bm7
eye, is the same thing that | makes me change my |
Em7 Am7 Bm7
mind. Kind of hard to ex- | plain, but girl, I'll |
Em7 Am7 Bm7
try. You need to | sit down, this may take a while. |

2.
Em7 Am7 Bm7
__ See this girl, she sort of | looks just like you. __ |
Em7 Am7 Bm7
__ She even smiles just the | way you do. __ |
Em7 Am7 Bm7
So innocent she | seemed, but I was |
Em7 Am7 Bm7
fooled. I'm re- | minded when I look at you. |

Refrain:
Em7 Am7 Bm7 Em7
__You remind me of a | girl that I once | knew. See her face whenever |
Am7 Bm7 Em7 Am7 Bm7
I, I look at | you. You won't believe all of the | things she put me |
Em7 Am7 Bm7
through. This is | why I just can't get with you. |

3.
Em7 Am7 Bm7
__Thought that she was the | one for me. __ |
Em7 Am7 Bm7
__ 'Til I found out she was | on her creep. __ Ooh, |
Em7 Am7 Bm7
she was sexing | every- one, but |
Em7 Am7 Bm7
me. This is | why we could never be. |

Refrain:

(Das Solo-Arrangement endet hier.)

Bridge:
Am7 B7 Em7 Dm7 G7
I know it's | so unfair to | you that I re- | late her ignorance to |
Am7 B7 Em7
you. Wish I | knew | __ how to separate the two. |You remind me ... |

Refrain:

U Remind Me

Noten

Words & Music by Edmund Clement Hustle & Anita McCloud
arr.: Michael Langer

20

Vers
Refrain
Flag.
XII
VII
VIII

U Remind Me

TAB

Words & Music by Edmund Clement Hustle & Anita McCloud

arr.: Michael Langer

Vers
Refrain

Audio-Liste

01 Apologize
02 Breakfast In America
03 Count On Me
04 Crazy Little Thing Called Love
05 Despacito
06 Free Fallin'
07 Happier
08 Human Nature
09 Love Someone
10 Moon River
11 More Than Words
12 Orphans
13 People Get Ready
14 Probier's mal mit Gemütlichkeit
15 Right Here Waiting
16 Shallow
17 Shape Of You
18 The Sound Of Silence
19 Stayin' Alive
20 U Remind Me